내가 너를 좋아하는 만큼

네가 행복했으면 좋겠다

아 공

내가 너를 좋아하는 만큼 네가 행복했으면 좋겠다

발 행 | 2024년 01월 09일
저 자 | 아공 @geul._.hv
펴낸이 | 한건희
펴낸곳 | 주식회사 부크크
출판사등록 | 2014.07.15.(제2014-16호)
주 소 | 서울특별시 금천구 가산디지털1로 119 SK트윈타워 A동 305호
전 화 | 1670-8316
이메일 | info@bookk.co.kr

ISBN | 979-11-410-6574-4

www.bookk.co.kr

내가 너를 좋아하는 만큼

네가 행복했으면 좋겠다

소중한 (   ) 님의 앞날에
짙은 행복이 깊게 기다리고 있을 것입니다.

찾아주시고, 읽어주셔서 감사드립니다.

안녕하세요. 독자 여러분, 아공입니다.
2019년 1월,
서투른 실력으로 글을 쓰기 시작했고,
어느덧 시간이 흘러 2024년 1월을 맞이하였습니다.
여전히 부족한 점이 많은 글임에도 많은 독자분께 과분한 관심을
받아서 행복했습니다. 제가 계속 나아갈 수 있는 원동력이 되어주
셔서 진심으로 감사드립니다. 독자님들 덕분에 저의 글과 "아공"이
라는 인물이 더욱 성장하고 있다고 생각합니다.
저의 힘이 닿는 순간까지 계속해서 글을 작성하도록 하겠습니다.
잠시 쉬었다가 가셔도 좋고, 오래 머무르셔도 좋습니다.
저는 변함없이 지금처럼 이 자리에 있을 테니까요.

아공의 글을 읽어주시고 좋아해 주신 모든 독자님께 감사함을 담아
작성했습니다.

@geul._.hv

차례

01 있잖아, 나는 네가 너무 좋아

마음을 열어서 보여줄 수만 있다면
너에게 닿기를
속뜻
쉽게 잊히는 사람은 아니기를
여행
숨기지 말아줘
내 삶의 전부
네가 만든 변화
운명이라고 생각해
녹지 않고 더 굳어진 마음
확신
올해도

02 언제든, 내 곁에 기대도 돼

밤에 꺼내본 고백

늦은 깨달음

포기를 모르는 도전의 힘

네가 곧 행복이야

짙은 노력

다시 하면 어때

희망을 품고

긴장의 의미

승자

시련

토닥임

해결책

좋은 것만 담아둬

걱정의 늪

한숨 안에 담긴 마음

나도 모르게 비교하게 될 때

원석

도약

너를 괴롭히는 사람들

너의 봄날

아팠던 마음

03 알잖아, 난 항상 네 편이야

말하지 않아도
쉼
가장 좋은 선택
전환
반등
신뢰
너의 모든 하루
너의 연락을 기다릴게
내 사람을 구분하는 방법
다정한 사람
장담해 본다면
상대가 원하는 것
화백
너의 세상은
내 사람이 주는 응원
날개
항해
신념
꿈에서 현실까지
도전이 이기는 날
비 온 뒤 땅이 굳는 법
각기 다른 꿈

다신 오지 않을 기회

내면의 소리

되돌아봐

너에게 달려가고 싶었던 날

수화기 너머로

빛의 색으로 물든 길

내가 말했잖아

굳은 심지

보란 듯이

새로운 출발선

좋아하는 것

방해꾼

진정한 내 사람

인연을 정리하는 법

귀한 너의 마음

오늘 하루의 마무리

낙천적으로 생각하는 이유

달에게 한 부탁

자신감 가져도 돼

소리 없는 응원의 힘

04 잠깐만, 우리 이대로 계속 있자

널 오래 보면서 느꼈어

너를 꼭 안고 전한 마음

마침표

한 컷

각인

사랑하는 사람에게

우리 행복만 해

구름 위를 걷는 기분

내 삶의 이유

행복하기를

미래

종착

소중한 다짐

잘 해냈다

우리라면

함께 걷자

너라는 안식처

나타나 줘서 고마워

영원을 말해

내가 항상 네 곁에 있을 거야

행복이 영원한 공간

예외

내 삶엔 항상 네가 있어

행복이 익숙했으면 좋겠어

좋은 기억을 많이 만들어줄게

너의 365일

나의 모든 기쁨

평온한 하루

까만 밤을 찾아온 작은 별

기적은 본 날

기대해 줘

사계

매년 함께 했으면 해

01 있잖아, 나는 네가 너무 좋아

잠식

네가 왜 좋은지 이유를 생각할 겨를이 없을 만큼
나는 이미 너를 좋아하고 너에게 빠져들기에 바빴다

–

점차 스며들어 온통 너로 채우는 사랑을 한다.
나도 모르는 사이 시작되어
언제부터 좋아했는지 정확히 알 수가 없어서
좋아하는 마음을 확실하게 인정한 순간부터 날을 가늠한다.

좋은 점이 쌓이고 쌓여 손을 쓸 수 없이 너에게 빠져가고 있다.
네가 좋은 이유를 셀 수가 없을 것 같다.
좋아한다고 느낀 순간부터 걷잡을 수 없도록 빠져버렸으니까.

시간이 흐르면 흐를수록 더 네가 좋다.
마음이 짙어지고 감정이 더욱 선명해져서 확신할 수 있다.
내가, 너를 정말 많이 좋아하고 있다.

이끌림

이유를 생각할 시간이 없었다
지금이 아니면 널 좋아하지 못할 것 같아서
그래서 그냥 너를 좋아했다
너에게 빠진 건 너의 어떤 점이 좋아서가 아니라
그저 너라는 사람에게 내가 이끌린 것이다

–

너의 어디가 그렇게 좋냐고 물어본다면,
나는 고민도 없이 수백수천 개를 술술 내뱉을 것이다.
너의 좋은 점은 무수히 많다.
그런데 너를 어떻게 좋아하게 되었냐고 물어본다면,
그저 이끌렸다고 말할 것이다.
아무리 생각해 봐도 이끌렸다고 밖에 말할 수가 없다.
그저 너라는 사람에게 나도 모르게 이끌린 것 같다.
정신을 차려보니 나는 너를 너무 좋아하고 있고,
네가 없으면 허전한 사람이 되어버렸다.

너를 웃게 만드는 사람

내가 줄 수 있는 모든 표현을 너에게 건네줄 거야
내일 어떤 일이 일어날지
아무것도 알 수 없으니
최대한 너의 오늘이 행복하고 즐거웠으면 좋겠어

-

나도 처음부터 표현을 잘한 것은 아니다. 부끄럽다는 이유로 넘어
갔었고 좋아도 티를 내지 못했었는데 언젠가 이런 말을 들었다.
"표현하지 않으면, 상대는 알 수가 없어."
내가 아무리 좋아하는 마음이 가득해도 흘러내리지 않도록 막아선
다면 상대는 알아채지 못한다. 티를 내지 않으면서 내 마음을 알아
달라고 하는 것은 상대에게 얼마나 힘이 드는 일이겠는가?
좋아하는 마음 앞에서 부끄러움은 뒤로 보냈다. 얼마든지, 언제든지
좋아하는 만큼 표현을 건네는 사람이 되고자 한다. 좋아하는 마음
을 아끼지 말자.

"오늘의 마음을 내일로 미루지 말자."

성장

너는, 나를 좋은 사람으로 만들어줘
너로 인해 내가 더 나은 사람이 돼

-

너는 아무런 조건도 바라지 않고 서툴고 모난 점이 많은 나를 조금
씩, 세심히 다듬어준 사람이 아닐까 싶어.

이전에는 감정이 투명하고 솔직해서 표정이나 행동에 나타났다.
이러한 나의 모습에 있어 너는 나에게 사람을 대할 때, 부정적인
감정이 들어도 앞서 나가지 않도록 도와주고는 했다.
먼저 좋아하는 사람하고만 어울릴 수 없는 세상이라는 것을 알려줬
다. "가끔은 원하지 않는 사람을 마주할 때도 있고, 때로는 좋아하
지 않는 사람과 무언가를 해야만 하기도 해. 그럴 때 감정이 있는
그대로 드러나면 내 약점으로 보일 수가 있어"
그리고 선한 사람이 결국 강자라는 것도 알려줬다. 그래서 내 눈에
네가 그렇게 멋있어 보이고 강해 보인다고 느꼈는지도 모른다.
그런 너를 동경했다. 너는 너에게만 좋은 사람이면 된다고 느꼈던
사람을 모두에게 좋은 사람이 될 수 있도록 만들었다.

다 좋아서

나는 네가 웃을 때 모습이 좋아
괜히 나까지 행복해지니까
또 네가 집중할 때 모습이 좋아
또 네가 먹을 때, 쉴 때의 모습도 좋아해
사실은, 너의 모든 면을 좋아해

–

네가 웃는 모습을 보면 같이 따라 웃게 되는 버릇이 생겼다.
온 햇살을 머금은 듯한 너의 미소에 웃지 않고 버틸 수가 없어서.
삭막한 공간에 따스함이 생겨나는 순간이다.

집중하는 너의 옆모습을 바라보며 너를 그려보곤 한다.
내가 좋아하는 너의 눈, 코, 입, 턱선 모두 마냥 예쁘다.
좋아하는 음식을 마주할 때 아이처럼 기뻐하는 순수함도 좋다.
웅크리고 꾸벅 조는 모습도, 흘러나오는 음악을 흥얼거리는 것도,
날이 춥다며 두 손을 주머니에 넣고 종종 뛰어가는 모습도,
발자국이 없는 하얀 눈밭을 발견해 즐거워하며
내 이름과 네 이름을 남기는 너의 매 순간을 다 좋아한다.

한결같이

변함없이 너에게 다정한 사람이 될게
네가 나의 기적이 되어주었으니
나는 너에게 내 세상을 줄게
내가 줄 수 있는 모든 마음을 줄게

–

시간이 흘러도 행동에 변함없는 사람이 되고 싶다.
영원히 너를 사랑하겠다고 말했으니 영원히 너를 사랑하려 한다.
내 마음에는 한 치의 오차도 없다. 한 번도 너와 너를 향한 나의
마음을 가볍게 여긴 적 없고, 매 순간 나는 진심으로 너를 대하며
생각했다. 더 좋아하고, 더 잘해주고, 더 아껴주는 일은 있어도 덜
좋아하는 일은 무슨 일이 있어도 없을 거라고.
너를 향한 나의 사랑은 언제나 계속될 거라고 말했다.
너에게 전해주었던 나의 온기가 식는 일은 절대 없을 거야.
한결같이 너를 바라보며 웃을 거고, 네가 내게 달려오면 망설임 없
이 눈을 맞추고 팔을 벌릴 거야.

"언제든 너를 위한 내가 될게"

말로는 표현이 되지 못해

벅차오르는 감정을 좋아해
그동안 흐른 시간만큼
모아두고 아꼈던 감정이 쌓여
감히 쉽게 표현이 안 되는 느낌이야
너를 보면 떠오르는 감정이야
벅차게 너를 좋아하고 있어

-

약속 시간보다 조금 일찍 출발하여 도착 장소에서 기다리는 것을 좋아한다. 소중한 사람이 나를 향해 걸어오는 모습을 볼 때 참 좋기 때문이다. 수많은 사람 속에서 내 사람만 선명히 보이는 것도 좋다. 사소하고 잠깐의 시간이지만, 나는 그게 그렇게 좋다.
내가 너를 얼마나 좋아하고 있는지 또렷하게 느낄 수 있다.
약속 시간에 늦은 것도 아닌데, 일찍 나와 있는 나를 발견하여 뛰려는 너를 보며 천천히 걸어오라고 말했다.
나는 너를 만나는 일이 설레서 주체 못 하고 일찍 나온 건데 혹시라도 네가 달려오다가 넘어지면 안 되니까.
앞으로 시간이 흘러도 언제나 내가 먼저 도착해서 기다릴 테니,
너는 그저 준비를 다 하고 천천히 와주기만 해줘.

D-DAY

앞으로는 좋은 일만 가득 일어나서
너의 많은 하루가 행복으로 가득 차기를
사랑만 받아도 부족한 과분한 네가
언제나 행복했으면 좋겠다

–

좋아하는 사람의 하루가 행복으로 가득하길 바라는 건 당연하다.
나의 행복을 전해주어서라도 너의 행복을 더욱 크고 짙게 만들어주
고 싶다. 왜냐면 나의 시선에 너는, 사랑만 받아도 부족할 정도로
소중하고, 빛나고, 너무나 귀한 사람이니까.
이렇게 과분한 사람을 좋아해도 괜찮을 정도로 말이다.
그러니 너의 행복을 진심으로 바라는 사람이 되려고 한다.
네가 언제나 행복했으면 좋겠다. 내가 아니더라도, 나를 제외하더라
도 수많은 사람의 사랑 속에 존재했으면 한다.

"이 세상에 있는 가장 예쁜 마음과 감정이
오직 너에게만 향했으면."

충분히 좋은 사람

나는 네가 이유 없이 좋다
혹여 너를 좋아하지 않는 사람이 생겨난다 해도
분명 나처럼 이유 없이
너를 좋아하는 사람이 더 많을 거다

–

괜한 사람으로 인해 네가 상처받지 않았으면 좋겠다.
지금의 너는 충분히 괜찮은 사람인데 애꿎은 사람들이 너에게 돌을
던질까, 상처를 주지는 않을까 걱정된다.
사람은 보통 자신을 좋아해 주는 사람이 열 명이 있어도 싫어하는
사람 한 명에게 더 신경이 쓰이고 아파하게 된다.
너의 삶에서 중요하지 않은 사람으로 인해 소중한 네가 아파하는
모습을 바라보며 속이 많이 상하고는 했다.

고개를 들어보면 주변에는 너를 좋아하는 사람들로 채워져 있어.
나 또한 네 곁에서 자리를 지킬 거야.
지금도 충분히 넌 괜찮은 사람이고 많은 사람이 나처럼 너를 좋아
하고 있어. 믿어도 돼.

꿈이 아닌 현실

어디서 이런 사람이 나타난 건지
어떻게 이런 사람이 내 사람인지
그저 매일 감사할 따름이야
흘러가는 나의 시간과 하루를
아깝지 않게 만들어준 사람
오늘도 참 많이 좋아해

_

너를 빤히 바라보며 슬며시 웃고는 했다.
그러면 너는 내게 웃음의 이유를 물었고,
나는 아니라고 말하며 자연스레 화제를 돌렸어.
그때 못했던 말이야.

"꿈 같은 현실이 믿기지 않아서."

"오랫동안 좋아했던 사람이 내 앞에 있어서."

너라서 괜찮아

오래도록 함께 좋은 일만 있고 싶어
너를 닮은 예쁜 것만 보여주고 싶고
네가 원하는 모든 것을 해주고 싶어
너라서 다 주고 싶은 것도 맞지만
너라면 다 줘도 괜찮을 것 같아

—

무조건 주기만 하는 사랑은 하지 말라고 했다.
마음을 다치는 일이 많기 때문이다.
이 사실을 알고 있음에도 불구하고 나는 너에게 다 주고만 싶다.
너에게 내가 준 마음만큼 달라고 떼쓰지도 않을 거고, 막연히 바라
고 기대하지도 않을 거다.
내가 주고 싶어서 너에게 주는 거였다. 네가 나의 모든 것을 달라
고 해도 다 줄 수 있을 것 같다. 네가 없는 나의 세상보다는 나으
니까 말이다. 내가 가진 모든 것들은 네가 없다면 필요가 없다.
나의 행복은 너로 인해 존재하고, 나의 목표도 너로 인해 세워졌다.
너의 존재 덕분에 내게 생겨난 것들이니 원하는 만큼 마음껏 내게
서 가져가도 좋다.

너를 좋아한다고 느낀 순간

아무리 지치고 힘들어도
너를 떠올리면 웃게 되더라
너의 생활과 하루에
내가 조금이라도 들어있었으면 좋겠더라
너와 함께할 수 있는 순간에는
시간이 멈춰있기를 바라더라

–

그런 날이 있다.
나의 능력이 부족하다고 느껴질 때, 쉴 새 없이 할 일들이 몰아칠
때, 나의 존재에 대해 의구심이 들 때.
살아가다 보면 부정적인 생각과 마음을 가질 수밖에 없다.
기운이 빠지고 무기력해 아무것도 할 수 없다고 느껴진다.
그럴 때 너를 떠올리면, 전혀 없었던 얼굴에 웃음기가 생기고 결국
작게 피어나기 시작해 온전히 나를 덮는다.
그때부터 내 안에 부정적임이 너의 긍정 앞에 도망가기 시작한다.
의식하지 않으려고 해도 너는 내 생각의 중심이 된다.
나도 모르게 바라는 일들이 생겨난다.
이 모든 건 너를 좋아하고 있다는 증거가 될 수밖에 없겠다.

약속

우리가 앞으로 함께 보낼
많은 시간이, 많은 나날이
지금처럼 평화롭고 편안했으면 좋겠어
우리 지금처럼 서로에게 상처 주지 말고, 이해하며
그렇게 사랑하자

-

소중하고 중요한 관계일수록 배려와 지켜야 할 약속이 필요하다.
쉽게 내뱉은 말과 행동으로 귀한 인연을 잃어버리고 놓쳐버리면 안
되기에. 후회해도 상대의 마음에 큰 상처를 남긴 후면 소용이 없다.
나는 너와 영원을 바라는 관계가 되고 싶다.
내가 사랑할 수 있는 시간의 끝까지 너를 사랑하고자 한다.
절대 너를 아프게 하지 않을게.
절대 네가 내 곁에 있음을 당연히 여기지 않을게.
너와 했던 모든 약속을 항상 기억하고 행동하는 사람이 될게.
내가 이전에 너에게 했던 약속을 기억해.

"우주에서 가장 행복한 사람이 될 수 있게 해줄게."

1호 팬

네가 세상에서 제일 좋아
무슨 일이 있어도
나는 네 곁에서 너를 믿고
너를 절대로 떠나지 않을 거야
혹시나 네가 주저앉게 되더라도
묵묵히 내 자리를 지키며 기다릴게

-

나, 너의 1호 팬이 되고 싶어.

"잘할 자신 있는데 맡겨주면 안 될까?"

지구에서 가장 행복한 사람

너의 일상은 매일 행복으로 가득했으면 하는 마음이다
사소하더라도 너를 웃게 만든다면
나는 매일 사소한 행복을 건넬 거고
언젠가 너를 지구에서 가장 행복한 사람으로 느끼게 해주고 싶다

-

너는 내가 세상에서 가장 큰 행복을 안겨주고 싶은 그런 존재라는
것을 알고 있을까? 내가 지금 숨 쉬고 있는 지구에서 가장 소중한
사람, 가장 좋아하는 사람, 가장 아끼는 사람, 가장 지키고픈 사람
모두 다 너라는 것을 알고 있을까.

바쁘고 지친 하루의 일상을 보내다 보면, 행복이 잠시 숨어버리는
것 같다. 분명 너의 곁에는 무수한 행복들이 존재하고 있는데 야속
하게도 행복을 느낄 순간이 부족해 속상하기만 해.
우리는 작은 행복에도 큰 힘을 얻는다는 사실을 알고 있기에,
나는 사소한 행복에도 환하게 웃는 너의 모습이 좋기에 매일 네 곁
에서 행복을 건넬 거야. 내가 사랑하는 네가 지구에서 가장 행복한
사람이 될 수 있도록 말이야.

이미 알고 있겠지만

나 너를 너무 좋아해
착각이 아니야, 진심이 맞아
너를 보면 볼수록 깨닫게 돼
내가 너를 많이 좋아하는 것 같아

–

분명 먼저 말을 꺼낸 적이 없는데 주변 사람들은 내가 너를 좋아하
고 있다는 것을 알고 있다.

너를 바라보는 눈빛에서, 너를 떠올리는 마음에서,
너를 대하는 태도에서, 너를 표현하는 말에서 들켰나 싶다.

그렇다면 혹시 너도 눈치챘을까.
내가 너를 좋아하고 있다는 사실을,
너로 인해 하루가 더 설렌다는 사실을.
아직 모른다고 해도 괜찮아.
또는 이미 알고 있어도 상관없어.
언젠가는 내 마음을 잘 정리해서 너에게 건넬게.

의미

너와 함께하는 사소한 것들이
나에게는 그 무엇보다
특별하고 가치가 있었다는 것을
너는 알고 있을까

—

함께하는 상대가 누구냐에 따라 의미가 달라지고는 한다.
혼자였다면 줄 서서 맛집을 기다리지도 않고, 내성적인 성격인지라
사람이 붐비는 곳을 그렇게 좋아하지도 않는다. 소위 말하는 예쁜
것에 대해 무던했고, 크게 관심이 없었는데 너를 만나며 나도 몰랐
던 나를 마주하고 있다.
네가 원하고 가고 싶은 식당은 뭔가 더 맛있을 것 같고, "이런 곳
도 있구나." 감탄하며 항상 새로운 공간을 경험한다.
아름다운 배경을 바탕으로 소중한 너의 모습을 기억하면서 느꼈다.
좋아하는 사람과 하는 일은 무엇을 해도 좋을 것 같다고.

"너와 했던 모든 일, 나눈 모든 대화, 지었던 표정
그 어느 하나도 내게 무의미했던 것이 없었어."

변함없이

다시 태어난다면
다시 나로 태어나야 할 이유가 생겼다
다음 생에도 나로 태어나
지금의 나처럼 너를 좋아하고 싶다
너를 처음 좋아한 그때 나의 모습으로
다음 생에는 용기 내어 다가가고 싶다

_

다음 생이 있다면, 내게 그 기회가 주어진다면
나는 다시 나로 태어날 거야.
이번 생에 너를 좋아한 것처럼
다음 생에도 변함없이 너를 좋아하고 싶어.
너를 처음 마주했을 때, 너를 좋아하게 되었을 때 모두
나는 나였으니까. 그 기억을 잊고 싶지 않아.
변함없이 몇 번이라도 다시 태어나서 너를 좋아할게.
내가 세상에서 가장 사랑하는 사람은 시간이 흘러도 절대 변하지
않을 거야. 변함없이 너의 이름을 말할 거야.

운명

그토록 찾아 헤맨 사람이 너였구나 싶어
내 모든 사랑을 줘도 아깝지 않은 사람
내 마음 전부를 기꺼이 줄 수 있는 사람

－

첫눈에 반한다는 말을 믿고, 운명이란 단어를 좋아한다.
나에게 네가 그러했기 때문이다.
너는 나를 단숨에 사로잡았고, 운명에 대해 생각하게 했다.
나의 인연은 누굴까. 나의 연인은 어떤 사람일까 궁금했었는데
그 사람이 너인 것 같다. 너라서 감사하다.

너와 운명 같은 사랑을 하고 싶다. 끝이 없는 사랑을 하고 싶다.
전생에도 우리가 인연으로 연결되었지 않았을까?
그래서 지금 현생에서 이리 만난 것은 아닐까?
다음 생에도 서로를 바라보며 사랑하면 안 될까?

"나의 삶에서 운명이라고 믿고 싶은 사람은 오직 너뿐이야."

너라는 사람을 사랑하는 거야

너의 아쉬움과 부족함 마저 사랑해
세상에 완벽한 사람은 존재하지 않고
그것은 단지 너의 일부일 뿐이니까
너는 충분히 많은 능력을 갖췄고
해내는 것이 훨씬 더 많은 사람이야

-

너는 나에게 종종 묻곤 했다.
"나를 왜 좋아해?"

너는 말했어. 잘하는 것보다, 못하고 부족한 점이 많다고.
키도 크지 않고, 예쁘지도 않고, 잘 생기지도 않고, 그렇다고 그렇게 착하지도 않은 편이라고.

나도 말했어. 그냥 너의 모든 면이 나에게는 다 좋다고.
오히려 네가 완벽하지 않아서 더욱 좋아한다고 말했어.

너는 모르겠지. 끊임없이 노력하고 배우는 너의 모습이 세상에서 제일 빛나고 멋있다는 것을, 내가 매일 너에게 반한다는 사실을.

마음을 열어서 보여줄 수만 있다면

내 행복의 전부가 너라는 것을 알고 있을까
너는 항상 너의 존재가
아무렇지 않다고 말하지만
너의 존재 자체가 행복이고 소중한 사람이 있다는 것을

–

마음을 말로 표현하기에는 항상 부족한 것만 같다.
너를 향한 깊은 감정을 가장 잘 표현할 수 있는 단어를 아직도 찾
지 못했다. 할 수만 있다면 내 마음을 열어 네게 보여주고 싶어.

"내가 너를 얼마나 좋아하는지,
내가 너를 얼마나 생각하고 있는지.
이 세상에 아무렇지 않은 존재는 없어.
너는 나의 행복이고, 사랑이고, 전부야."

너에게 닿기를

내가 좋아하는 사람이
나를 좋아해 줄 때만큼
행복한 순간이 또 어디 있을까

—

누군가를 좋아하기 시작하면 마음이 힘들어져서 각오가 필요하다.
사소한 것에 혼자 설렜고
사소한 것에 혼자 서러워 울기도 했다.
내 마음은 이렇게나 너를 좋아한다고 외치는데
어째서 너에게 닿지를 못하는 건지 답답했다.

내가 좋아하는 사람이 나를 좋아하게 된다면,
그건 기적이라고도 볼 수 있다.
지구에 있는 수많은 인구 중, 우리가 닿았다는 거니까.
만약 내게 그런 일이 일어난다면
그날, 나에게는 기적이 찾아온 것이다.

속뜻

오래 살고 싶다는 말은
너랑 오래 있고 싶다는 말
많이 행복하다는 말은
이 행복의 이유가 너라는 말

–

나의 모든 말에는 네가 담겨 있다.
삶의 마지막이 별로 무섭지도, 두렵지도 않았었는데
너를 만나고부터는 나 없는 곳에 너 혼자 외롭게 두고 싶지 않아서
더 오래 이 세상에 머물고 싶다고 생각했다.
네가 곁에 있는 한 오래 건강하게 살고 싶다.

"너랑 하고 싶은 것도 무척 많고
너랑 가고 싶은 곳도 참 많아.
우리 건강하게 오랫동안 살아서
오랜 순간 행복을 느끼자."

쉽게 잊히는 사람은 아니기를

너에게 내가 스쳐 지나가는 사람이 아니었으면
너에게 내가 스며들었으면 좋겠다

-

우리가 영영 이별할 거라고 생각 안 해.
만약 헤어지게 된다면 그저 잠시 떨어져 있는 거고,
분명 다시 만나게 될 거야. 내가 꼭 그렇게 할 거야.

"너에게 계속해서 중요한 사람이 되고 싶어"

"너의 삶에 여전히 존재하는 사람이 되고 싶어"

"쉽게 잊을 수 있는, 아무런 존재감 없는 사람이 되고 싶지 않아."

여행

떠나고 싶어
지금보다 더 행복할 수 있는 곳으로
너를 더 행복하게 해줄 수 있는 곳으로
네가 있다면 어디라도 좋아
나는 너만 있으면 충분해

–

"우리, 바다 보고 올까?"
바다를 보면 답답했던 속이 풀리고 시원함을 닮은 후련함이 찾아와
한참을 멍하니 바라보게 한다.
그래서 우리가 바다를 좋아하는지도 모르겠다.
지금 이곳은 높은 건물과 경적이 울리는 차로 가득해서
너를 힘들고 지치게만 만드니까 잠시만이라도 떠나고 싶었다.

잠깐의 일탈은 전환이 되어줄 거야.
짧은 시간이어도 충분히 네가 행복을 느낄 수 있도록 만들어줄게.
나는 그 어떤 것도 너보다 중요하진 않아.
바라는 건 그저 네가 아프지 않고, 오랜 시간 행복을 느끼는 거야.

숨기지 말아줘

네가 아프지 않았으면 하지만
혹시라도 아프다면 내게 비밀로 하지 않기로 해
너에게 힘든 일이 일어나지 않았으면 하지만
혹시라도 네가 힘들고 지친다면
혼자 슬퍼하지 말고 꼭 내게 말해주었으면 좋겠다
내가 부족하지만 널 안아줄 테니까

‒

내가 해줄 수 있는 게 안아주는 것뿐이라 미안해
대신 그 누구보다 따뜻한 온기를 품고 기다리고 있을게.
품 안에 들어오는 순간, 너의 피로가 풀릴 수 있도록
내 마음을 따뜻하게 데워둘게.

"네가 내 안에 있을 때 어떠한 걱정도, 불안도 없었으면 좋겠어."

내 삶의 전부

그냥 나는 평생 너를 바라보며 살아가고 싶어
평생을 바라봐도 너를 향한 내 마음은 시들지 않을 것 같아
하루하루가 설레고 행복할 듯해
그러니 평생 내 곁에 있어 줘
내 이번 생은 너로 가득 채워줘

-

너에게 내 전부를 주고 싶다.
네가 아니라면 안 될 것 같다.
네가 아닌 다른 사람을 이렇게 좋아하지도 못할 거고,
좋아하지도 않을 거다.
내 마음이 계속해서 너를 말하고 있다.
내 마음이 계속해서 너를 원하고 있다.
내 마음은 너만을 위해 존재한다고 봐도 된다.
너를 만난 이번 생, 사랑으로 가득 채우고 싶다.

네가 만든 변화

나의 삶은 널 만나기 전과 후로 나눌 수 있어
너를 만나기 이전의 나는
내가 아무것도 못 할 거라고 생각했는데
널 만나고 난 후 조금씩 바뀐 듯 해
내가 아무것도 못 하는 게 아니라
내가 아무것도 안 하는 거였어
나도 할 수 있더라고
네 덕분에 나는 계속 도전할 수 있어
나의 원동력이 되어줘서 고마워

-

말로만 했던 거였어.
행동으로 옮기지도 않고 결과를 바라니 변화가 없었어.
너는 이런 나를 변화하게 해 준 사람이야.
너에게 더 좋은 사람이 되고 싶었고
너에게 더 멋있는 사람이 되고 싶었어.
잡념이 찾아와 나를 괴롭히면, 너를 떠올리며 계속 도전했어.
지금 내 모습은 모두 다 네가 만든 거야.

운명이라고 생각해

몇 번을 다시 태어나
새로운 삶을 살아간다 해도
나는 너라는 사람을 좋아할 것 같아
그럴 수밖에 없을 듯해
나는 너를 좋아할 수밖에 없는 운명이니까

-

늘 너에게 새롭게 반하는 내 모습을 보았을까.
웃는 모습이 예뻐서, 말할 때도 보이는 보조개에 시선을 빼앗겨서,
전화를 받는 목소리가 좋아서, 장난치는 모습이 귀여워서.
이유도 늘 다르다. 매번 다른 이유로 너에게 반하고 있다.
다시 태어나도 너를 좋아할 거다.
네가 무엇을 하든
나는 어떠한 이유로 또 너를 바라보고 있을 것이다.

"이미 오래전부터 너를 좋아할 운명을 쥐었던 거야"

녹지 않고 더 굳어진 마음

나도 내가 너를 얼마큼 좋아할 수 있는지 궁금해
네가 아닌 누군가를 또 이토록 사랑할 수 있을까
감히 내가 그럴 수 있을까
아마 다신 없을 거고, 못할 것 같아
예고 없이 거세게 찾아와서
어느새 너로 뒤덮인 나를 어떻게 지우겠어

–

돌이키기에는 너무 멀리 와 버렸어.
헤어 나오기에는 이미 깊이 박혔어.
네가 나의 마지막 사랑의 사람이 되어주면 좋겠어.
너의 세상에 나를 받아주기를 바라.
나의 세상은 이미 너로 가득하니까.

확신

누군가를 만나다 보면
이 사람한테 내 인생을 바쳐도 괜찮겠다. 라는 사람을
만날 수 있다는데 그 말이 맞는 것 같아
나도 그런 확신을 얻었거든
너를 만나 사랑하면서

-

미래를 함께하고 싶은 사람이 생겼다.
정확히는 계속해서 사랑하고 싶은 사람이 생겼다.
있는 그대로 나를 바라봐주고,
피곤할 텐데도 목소리가 듣고 싶다는 나의 말에
고민 없이 전화를 걸었고 긴 시간 통화를 해준 사람
예쁜 곳을 보며 내 생각이 났다고, 다음에 같이 오자고 사진을 보
내주는 사람, 나의 자존감을 지켜주고 존중해 주는 사람

"너도 나와 같은 마음이었으면 좋겠다."

올해도

작년에도 많이 사랑한 너이지만
올해에는 더 사랑하고 아껴줄게
무슨 일, 어떤 일이 있어도
올해도 너의 곁을 지키며 사랑할게
올해도 우리 많이 행복하자

–

"내 사랑은 더욱 견고해질 거야
지난날 내가 준 사랑보다 더 많고, 예쁜 사랑을 줄 거야"

02 언제든, 내 곁에 기대도 돼

하루의 끝

조용한 이 밤이
너의 마음을 달래주었으면
고요한 새벽이
하루 동안 지친 너를 위로해 주었으면 좋겠다
네가 무너지지 않았으면 좋겠다

–

밤과 새벽의 시간대를 좋아한다.
조용하고 고요해서 점차 마음이 평온해지며,
그 느낌 자체가 나에겐 위로가 되고는 한다.
너에게도 그랬으면 좋겠다.
밤과 새벽이라는 시간이 조금이라도 너를 쉬게 해주었으면 한다.

"하루의 끝, 희미한 소음은 때론 지친 우리를 달래준다."

자책하지 않는 밤

많은 사람이 이미 알고 있을걸
네가 지금까지 얼마나 잘 해왔는지
그리고 잘 해냈는지를 말이야
세상에 완벽한 사람은 없어
완벽한 사람일 수는 없어
실수도 하고 서투른 점이 있을 수밖에 없어
처음이니까, 늘 새로움의 연속이잖아
그러니 오늘 밤은 자책하며 하루를 마무리하기보다는
고생한 나를 안아주는 시간을 보냈으면 해

-

너만 부족하고 실수하는 것이 아니다. 그러니 너무 자책하면서 탓
하지 않아도 괜찮다. 자책하며 보내기에는 너무 아까운 시간이다.
속상했던 마음을 방치하지 말고 살펴보는 것도 중요해서
네가 좋아하는 일을 하며 자책에서 조금씩 벗어났으면 좋겠다.
좋아하는 음악을 듣거나, 좋아하는 영화를 보거나, 책을 읽거나,
좋아하는 간식을 먹거나, 지나간 시간을 담고 있는 사진을 보며 추
억 여행에 빠지거나, 못 잤던 점을 조금이라도 푹 자거나.

나를 사랑하는 방법

오늘은 그 누구에게보다 더
나 자신에게
스스로 수고 많았다고 안아줄 수 있는
그런 하루가 되었으면 좋겠다

-

나 자신을 사랑해야 한다는 것을 알고는 있지만 늘 어렵다.
낯간지럽기도 하고, 어떻게 해야 할지 어색함도 감돈다.
타인을 사랑하는 것도 아니고, 지금의 나를 사랑해 줘야 한다니 어
려웠다. 어디서부터 시작해야 하는지 모르기도 했다.
작은 행동부터 시작하기로 했다.
한 걸음 내딛는다면 자연스럽게 다음 걸음도 따라오지 않을까.
항상 새로운 하루를 맞이하는 나를 위해
일과가 끝나면 자기 전에 누워 고생했다고 속마음을 건넸다.
간단하게라도 좋다. 정해진 내용은 없으니까.
언젠가는 나를 가장 사랑하고 아끼는 사람이 될 수 있겠지.

무뎌지다

덤덤하게 스스로 상처를 꺼낸다는 것이
그동안 얼마나 많은 시간 동안
스스로 무뎌졌던 건지

–

아프지 않아서 덤덤하게 말할 수 있는 것은 아니다.
아무렇지 않게 말을 꺼내기까지
홀로 오랜 시간을 울고 견뎠다는 의미이다.
나로 인해 타인이 짐을 짊어지게 될까. 투정 부리고, 기대고 싶은
마음을 참고 마지막까지 상대를 배려했다.
시간이 흐르면 흐를수록 그때의 순간이 옅어지길 바라지만, 어제의
일이라고 해도 될 정도로 선명히 생각나고는 한다. 그저 애써 생각
하지 않을 뿐, 잊어버린 적 없다.

"무뎌지기까지 얼마나 아팠을까."

너의 내면

너는 사람들을 위할 줄 알았고
너의 모든 인연에 진심이었잖아
그러니 너의 소중함을 깨닫지 못하고
떠난 사람에게는 상처받지 않아도 돼

–

"내가 무엇을 잘못했을까?"
너는 내게 물으며 한참을 고민하다가 이내 고개를 숙여 눈물을 흘
렸다. 도저히 모르겠는 답답함에 참고 있던 눈물을 터뜨린 것이다.
아무리 기억을 되짚어 돌아봐도 도저히 모르는 게 맞아.
애초에 잘못이 없는데 어떻게 찾아낼 수 있겠어
나는 말했다.

"그 사람이 없으면 앞으로 네 삶에 큰 흠집이 생길까?"

너의 진심에는 정도 담겨 있어서 떠난 인연이 생각나는 것 같아
이래서 정이 무섭다. 없는 잘못을 찾으려 심해에도 들어가니까.
네가 잘못한 것이 없는 인연이라면 기꺼이 떠나보내도 괜찮아.

틈이 있어도 괜찮아

자신에게 너무 엄격하지 말 것
스스로에게 너무 엄격하다 보면
내가 아무리 잘하고 있어도
나를 못 믿게 되니까

–

타인에게 피해를 주고 싶지 않았다.
그래서 더욱 나 자신을 각박하게 대했다.
실수도 해선 안 되고, 서툴러서도 안 된다.
언제나 좋은 모습, 바른 모습만 보여줘야 한다는 생각에 사로잡혀
완벽해지기 위해 애를 썼다.
그러다 보니 항상 자신에게 만족하지 못했다. 잘하는 것이 하나도
없다고 느껴지기까지 했다.
진짜 그럴까. 나는 정말 아무런 쓸모없는 사람인 걸까.
사실 그 누구보다 개인이 제일 잘 알고 있지 않나.
너는 늘 열심히 살고 있다. 그 자체만으로도 충분히 잘하고 있는
거다. 이제 부정하지 말고 있는 그대로 너를 믿어주는 건 어떨까.

자책

자책이 크면 클수록
나 자신은 점점 더 작아지게 돼
그러니 스스로의 가치를 절대 낮추지 마

-

너무 큰 자책은 오히려 독이 될 것이다.
너는 절대로 작은 사람이 아닌데
자책이 커지는 순간부터
스스로 움츠러들기 시작하고 타인의 눈치도 심하게 보게 된다.
죄인이 아닌데 왜 자꾸 죄인이 되려고 했을까.
계속해서 숙였던 고개를 다시 들어보자.

"천천히 움직인 시선에 닿은 건 너를 닮은 예쁜 꽃길일 테니."

모든 것을 감당하려 하지 않아도 돼

항상 좋은 일만 있을 수는 없고
곁에 좋은 사람만이 있지도 않다
그러니 안 좋은 일이 생긴 이유와
떠나간 사람과의 관계 그 책임을
모두 네가 안고 가지는 않았으면 좋겠다

–

내가 좋은 사람이 아니라서 곁에 나쁜 사람이 있는 게 아니다.
나쁜 사람은 언제 어디든 많이 있더라.
내가 잘못해서 보기보다는 안 좋은 상황이 지금이었던 거고,
그 사람과 나의 관계도 끝이 이쯤이었던 거지.
너에게 모든 책임이 있는 것도 아니고,
그 책임을 온전히 네가 가져야 하는 것도 아니야.

마음껏 울어

울고 싶을 때는 울어야지
삼키고 참다가 끝내 터져버린
솔직한 감정을 또 애써 숨기고
감추려 하지 않아도 괜찮아
우는 법도 잊어버려선 안 돼

–

언제 마음껏 울어봤는지 생각해 보았다.
생각이 잘 나지 않았다.
혹시라도 눈물이 차오를 것 같다고 느낀 순간마다
웃긴 생각을 억지로 해서라도, 나의 신체 일부를 꼬집어서라도
절대 흐르지 못하게 했던 지난날만 주마등처럼 스칠 뿐이다.
마음껏 울고 싶은데 울 수 있는 장소가 없었다.
마음껏 울고 싶은데 숨어야만 했다.
슬픔도 분명 인간의 감정 중에 하나다.
감추고 삼켜야만 하는 것이 아니라 내뱉고 털어내야 하는 것.
울어도 된다. 소리 내어 울어도 좋다.
그 또한 너를 지키는 방법이니까.

너만의 삶

그 어떤 사람이라도
네가 지금껏 걸어온 길에 대해
함부로 말할 자격이 없어
네가 어느 삶을 살아가든
네가 어느 선택을 하든 괜찮아
흔들리지 말고 네 생각대로 해

–

타인의 삶을 함부로 말하는 사람을 좋아하지 않는다.
본인도 제 삶을 찾아가고, 알아가고 있는데
감히 타인이 어떻게 정의할 수 있는지 모르겠다.
나는 네가 생각하는 것이 맞다고 생각한다.
후회가 남지 않으려면 들려오는 잔바람의 소리에 흔들리는 것보단,
오랜 시간 가장 많이 지켜보고 경험한 너의 선택을 하는 게 좋아.
마음껏, 생각한 것 그대로 펼쳐봐.

이뤄냄

마음먹으면 못 할 일이 없어
간절히 원하고 바랐던 일이
꼭 현실이 되어 나타날 거야
우리는 분명히 해낼 거야

—

하고 싶다고 말한 꿈이 있다.
네가? 라고, 말한 사람들을 기억한다.
"꿈도 참 크다."라며 자신들이 생각한 내 앞길을 친히 읊어줬던
사람들의 모습과 표정, 입도 선명히 기억한다.
덕분에 내 꿈을 더 놓칠 수가 없었다.
해야만 이유를 하나씩 만들어주시는데 어떻게 포기할 수 있을까.
그들이 오래 살기를 바란다.
그래서 보란 듯이 증명해 주고 싶다.
간절한 마음과 노력, 열정을 모두 모아서 결국은 꿈을 현실로 이뤄
내는 날이 올 거다.

끝은 모르는 법

지금 당장은 힘들고, 아프겠지만
결국 마지막에 너는 웃게 될 거야
네가 이겨내지 못할 일은 단 하나도 없어

-

언제쯤 이 시간이 끝날 수 있을까?
휘몰아치는 눈앞에 현실, 아득해져 오는 정신에
과연 내가 잘하고 있는 것이 맞나? 의문이 피어나기 시작한다.
지금 걷고 있는 길만 바라보며 숨찰 듯이 뛰어왔는데
그 끝이 잘못된 길은 아닐까, 절벽이면 어쩌나 불안도 생겨난다.
있잖아, 잘못 왔다고 생각되면 옆으로 꺾어도 돼.
직진만 할 수 있는 세상은 아니니까 유턴도 하고
옆으로도 빠져보자. 갈 수 있는 길은 여러 가지야.
너의 삶은 절대 추락이 아니야. 착륙이 될 거야.
네가 걷는 길의 풍경은 아름다운 하나의 경치이기도 해.

"힘들게 걷고 있더라도 가끔 주변을 돌아보고, 하늘도 바라봤으면"

시간을 갖자

일이 잘 풀리지 않거나
내가 생각했던 것과 다르게
어긋나는 일이 생길 때
조급한 마음을 갖거나
미리 걱정하지는 않았으면 해
우리는 할 만큼 최선을 다했고
가끔은 시간이 답이기도 하니까

-

할 수 있는 모든 일을 다 했다면,
그때부터는 시간의 차례가 된 거야.
시간은 좋지 않던 감정을 조금 옅게 만들어주기도 하고,
좋지 않던 기억에 빠져있던 나를 꺼내주기도 하니까.

비교는 필요 없어

누구보다 열심히 노력하며 살아가는 너를 알아
뒤처지는 것이 절대 아니니
스스로 못났다고 생각하지 않기를

–

앞서가는 주변 사람을 보며 나는 왜 앞서나가지 못할까,
내 능력이 부족해서인가. 생각하고는 했다.
아무런 노력을 안 하는 것도 아닌데 어째서 매번 제자리걸음인 건
지 억울하기도 했고 조금은 서러웠다.
사람마다 걸음의 폭도, 앞서나가는 속도도 전부 다 다르다.
타인의 보폭에 나의 걸음이 제자리걸음이라고 느낀 거였다.
나도 앞으로 나아가고 있었다.
한 걸음, 다시 한 걸음 더디더라도 내딛고 있고 나아가고 있다.
그러면 됐다. 그거면 됐다.

단지 네 글자

고생했다.
이 네 글자로 길었던 시간 속
너의 모든 하루를 대신할 수는 없지만
보듬어주고 안아줄 수는 있겠지
그 누구보다 고생했다
열심히 살아가느라 고생 많았다

–

"고생했다"
단지 네 글자에 불과하다.
그 네 글자를 누군가 건네주었으면 좋겠다고 간절하게 바랐다.
어쩌면 그동안 좋았던 날보다 슬펐던 일,
힘들었던 순간이 더 많았을지도 모른다.
그 시간을 이렇게 견디고 버텨내었다.
이런 나의 마음을 알아주었으면 했다.
그저 네 글자였다. 네 글자 앞에 어린아이가 된 것처럼 울었다.
마음껏 울었다.

너를 닮은 인연

항상 깊게 사람을 대하는 너에게
좋은 사람만이 곁에 많기를 바란다
상대에게 언제나 진심을 주는 너를 아프게 하는
나쁜 사람은 네 곁에 있지 않았으면 한다
다정한 너의 주변에는 따듯한 사람만이 가득했으면 좋겠다

–

타인의 기쁨에 마치 나의 일인 것처럼 축하해준 너를 안다.
타인의 슬픔에 거짓 없는 눈물을 쏟았던 너를 안다.
타인의 힘듦에 기꺼이 짐의 무게를 들고자 했던 너를 안다.
누구보다 하나의 인연으로서 최선을 다한 너를 알고 있다.
네가 한 모든 것은 당연한 일이 아닌데
마치 당연한 것처럼 여기는 사람들이 있다.
어째서 나의 시간, 나의 마음, 이외의 것들이 너에게 당연히 쓰여야
하는 건지 모르겠다. 상처받고 싶어서 잘해준 것이 아닌데.

"나는 네가 상처받지 않았으면 좋겠어.
너의 호의를 고마워할 줄 아는 소중한 사람을 만났으면 해"

믿어도 돼

스스로 부족한 점이 많고
모난 부분이 많다는 너에게
사실 하나도 부족하지 않다고
너는 따듯함과 다정함을 지녔고
타인에게 건넬 줄 아는 그런 사람이라고 말해주고 싶어
너는 지금도 충분히 괜찮아

-

나 거짓말과 빈말 잘하지 못하는 것 알잖아.
그러니 지금 진심으로 이야기하는 거니까 믿어도 돼.
네가 마음이 너무 넓은 사람이라 그만큼 많은 것들을 담고 싶어서
부족한 점이 있다고 느껴지는 듯해. 내 눈엔 전혀 부족하지 않아.
모난 점도 하나 없어. 오죽하면 나는 너의 모습에서 항상 배우고
있고 너를 본받고 있을까.
너의 온기는 그 누구보다 따듯해서 사람들의 마음을 녹여내.
나 외에도 너의 다정함에 고마워하는 사람이 많아.
충분히 괜찮고도 남을 사람이 너야.

차근히 내딛자

우리는 다시 일어설 수 있다
넘어지더라도
혹은 무너지더라도
너와 나는 처음부터 다시 나아가도
절대 늦지 않는다

–

도전이라는 것에 조건으로 나이가 있었나.
지금부터라도 시작해도 된다.
나이가 많다고 움츠러들 필요는 없다.
오히려 여전히 새롭고 배울 것이 많을 건데
처음이라고 기죽지 말고 씩씩하게 차근차근 걷자.
넘어지면 뭐 어떤가. 다시 씩씩하게 일어서서 걸으면 된다.

증인

내가 너를 믿을게
네가 얼마나 열심히 살고 있는지
불안한 시간을 견디며
얼마나 간절하게 바랐는지 아니까
네가 기댈 수 있도록 단단히 있을게
언제든지 내 곁에 있다가 가

-

스스로가 열심히 잘 살았는지 의심이 될 때면
언제든 내가 너 열심히 잘 살았다고 말해줄게.
좋은 사람이 되고자 했던 너를 잘 알잖아.
목표했던 일을 하기 위해 얼마나 노력했는지, 얼마나 간절했는지도
곁에서 모두 느낄 수 있었어.
내 모든 걸 걸 수 있을 정도로 너 정말 잘 해왔다.
지치고 버거운 순간이 올 때면 나에게 와서 쉬었다가 가.
중간에 쉴 틈도 필요하니까. 있고 싶은 만큼 있다가 가.

시작일 테니

너는 눈부시고 멋지다

너는 잘 모르겠지만

나는 너를 보며 항상 느낀다

언젠가 분명 해낼 사람

곧 자신의 능력을 펼쳐

많은 이들을 놀라게 할 사람

그러니 부디 포기하지 말기를

–

내 눈에는 네가 분명 해낼 것만 같다.

하고 싶은 일을 말하는 너의 모습에서 충분히 느낄 수 있다.

지금은 작은 크기의 빛이 곧 얼마 안 있어 존재감을 드러내겠구나.

마음 안 속에서 성장하고 있는 가능성이 모습을 보이겠구나.

"네가 포기하지만 않는다면 계속해서 네 안에 있을 거야."

어른의 무게

시간이 지날수록
어른이 되어갈수록
시원하게 우는 일이 적어진다
어른이라고 슬픈 일이 없는 게 아닌데
어쩌면 더 감당하기 힘들 수도 있는데
어른도 충분히 울어도 괜찮다

–

어른은 어떤 사람일까.
나는 어른이 맞을까. 여전히 잘 알지 못하는 점이 많고,
두렵고 무서운 것도 많고, 누군가에게 기대고 싶을 때도 많은데.
만약, "어른은 울면 안 된다. 참아내야만 한다"라고 한다면
나는 영원히 어른이 되고 싶지 않다.
어린아이든, 어른이든 슬픈 일은 언제나 있다.
슬픔의 무게가 더 깊고, 무거울 수도 있다.
그런데 어떻게 참아낼 수만 있을까. 터뜨리기도 해야 한다.
내 앞에서는 쏟아내듯이 울어도 괜찮아.

밤에 꺼내 본 고백

나도 사실 걱정과 생각이 많아
그래서 내일이 두려웠고
오지 않기를 바라기도 했어
있잖아, 걱정은 하면 할수록 커지는 것 같아
내가 무얼 걱정하는지 모를 정도로
원해서 걱정하는 것이 아니지만
확실한 것은 걱정했던 것만큼
세상이 무너지지 않는다는 거야
너 또한 무너지지 않을 거고

—

매일 밤 잠들기 전에 기도했던 것 같아.
내일 부디 별일 없기를, 아무런 일이 일어나지 않기를.
내가 말을 잘못하지는 않았는지, 그래서 나를 싫어하면 어쩌지.
한번 시작한 이유 모를 걱정이 꼬리를 물고, 또 꼬리를 물었다.
그때 했던 걱정은 아침에 일어나지 않았다.
만약 일이 생겨난다고 하더라도 상상했던 최악의 상황은 일어나지
않는다. 내가 무너지지 않았던 것처럼 너도 무너지지 않을 거다.

늦은 깨달음

담담한 네 겉모습만 보고
너는 강한 사람이라고
내 멋대로 생각했어
사실 누구보다 위로와
기댈 곳이 필요한 너였는데 말이야

-

티가 나지 않는다고 상처받지 않는 사람은 아니다.
사람은 누구나 상처받고, 아프기도 하다.
단지 아무렇지 않게 행동하는 너를 보며 내가 큰 착각을 했다.
흔들리지 않는 정말 강한 사람이구나 생각했고
내 생각으로 네가 감당해야 할 무게가 더 늘었던 것 같다.

"너도 누군가에게 기대고 싶었던 날이 있었는데,
너도 누군가의 말이 듣고 싶었을 텐데."

포기를 모르는 도전의 힘

결과가 좋은 것도 좋지만
때로는 과정에 비해
결과가 마음에 들지 않을 때도 있어
그렇다고 해서 노력하지 않은 건 아니잖아
너무 좌절하지는 마
도전은 결국에 결과를 이기길 마련이니까

–

언젠가 나의 끈질김에 결과도 승복하는 날이 오겠지.
도전은 내가 원한다면 계속할 수 있잖아.
이번에 아쉬움이 컸다면, 다음에 아쉬움이 남지 않으면 돼.
다음이 안 되었다면, 또 다다음에 하면 되니까.
끝날 때까지 끝난 것이 아니야.

네가 곧 행복이야

네가 행복하지 못할 이유는 없어
이미 네가 태어난 순간부터
너는 행복을 안고 태어났으니
앞으로도 계속 행복을 안고 가면 돼
지금 당장 행복이 찾아오지 않는다면
내일, 혹은 곧 깊게 찾아올지도 몰라
네가 행복할 날들은 수없이 많을 거야

-

찾아보면 행복은 가까이에서 머무르고 있을 거야.
네 존재 자체가 행복이라서 분명 곁에서 찾을 수 있을 거야.
부디 그 행복을 발견해서, 차곡차곡 쌓아서
네가 이 세상에서 제일 행복한 사람이 되었으면 좋겠다.

짙은 노력

노력하는 사람들은
항상 무언가를 해내
그러니까 너도 충분히
이뤄낼 수 있다는 거야
너의 노력을 믿어

-

너도 무언가를 해낼 거고, 충분히 이뤄낼 거다.

"네 노력은 분명 너를 찾아갈 거야."

다시 하면 어때

절대 끝이 아니야.
털어내고 다시 일어서면 돼
그러면 그 순간부터
언제든 새로운 시작이 될 거야
더욱 단단해진 너를 믿어

-

내가 끝이라고 단정 짓지 않는다면 끝은 존재하지 않는다.
다시 시작할 수가 있다.
새로운 시작을 마주할 때마다 너는 더욱 단단해져 있을 거다.
넘어지는 것 별거 아니다.
손에 먼지가 묻으면 탁탁 털어내고
무릎이 까지고 피가 나면 연고와 반창고를 통해
새살이 나오기를 기다리면 된다.
넘어지더라도 다시 일어나서 하면 된다.
하나도 부끄럽지 않고, 이상하지도 않고, 창피하지도 않은 거다.

희망을 품고

때로는 이유 없는 믿음이 필요해
잘될 수 있다, 잘 해낼 거다
혹시 모르지
네가 갖고 있던 잠재력이
당장 내일이라도 피어날 수 있잖아

–

우리는 이것을 "희망"이라고 부를 거야.
자만하지는 않을 거지만, 때로는 이런 마음도 필요한 것 같아.
사람의 앞일은 알 수가 없다고 하니까
이왕이면 잘 되었으면 하는 마음인 거지.
희망은 놓지 않는 한 언제나 네 곁에 살아 숨 쉴 거야.

긴장의 의미

걱정되고 긴장된다는 것은
그만큼 네가 진심이라는 뜻이기도 해
그동안 진심으로 준비하고
노력한 너를 믿고
아무 걱정하지 않아도 돼
분명 잘 해낼 수 있을 거야

-

긴장 안에는 진심과 간절함이 담겨 있다.
정말 원하고, 바라는 일이라 실수하면 어쩌지,
잘되지 않으면 어쩌지 걱정이 계속해서 생겨난다.
걱정은 그저 걱정에 머문다는 말이 있다.
너의 걱정 또한 그럴 거다.
열심히 했으니 분명 좋은 결과가 있으리라 믿는다.

승자

두려워하지 않아도 돼
어차피 지나갈 일이고
혹여 실패한다 하더라도
그건 성공의 밑거름이 될 테니까
네가 잃는 건 단 하나도 없어

—

도전하고 경험했다는 것 그 자체가 대단하다고 생각한다.
만약 잃어버리게 되는 것이 생긴다면
다시 얻어내면 되는 거잖아.
멀리 바라본다면, 네가 완전히 잃는 것은 없을 거야.
멀리 바라본다면, 승자는 단연 너 자신이 될 거야.

시련

힘든 일이 계속해서 나타난다는 것은
네가 그만큼 또 강해지고 있다는 것
네가 전보다 더 크게 성장했다는 것

-

시련 속에 강해진 너의 모습을 마주했다.

긴 시련을 이리 견뎌냈구나.

참 힘든 시간을 보내고 돌아왔구나.

토닥임

사람은 누구나 실수하고는 해
너에게 오늘 하루가
그 실수였던 것 그뿐이야
괜찮아, 언제나 괜찮다고 말해줄게

_

첫 아르바이트를 하는 학생들을 만날 때마다 실수해도 기죽지 말라
고 말해준다. 나는 1년이 다 되어가는데도 완벽한 편이 아니다. 실
수도 하고 여전히 틈새가 있지만 단지 크게 보이지 않을 뿐이다.
너의 실수도 그렇다. 웬만하면 실수는 해결할 수 있다.
그저 "실수"를 했다는 죄책감에 슬프고 마음이 좋지 않은 거지.
다음에는 덜하면 되는 거다. 실수를 딛고 성장하면 되는 거다.
실수하게 되더라도 괜찮다. 정말로 괜찮다.

해결책

지금 하고있는 걱정에 대한 답이 없다면
애써 답을 찾으려 애쓰지 않아도 돼
오히려 이미 충분히 잘 살아온 너를 믿고
더 멀리 너의 가치를 펼치길 바라

-

가끔 걱정 중에서도 답을 찾을 수 없는 걱정들이 있다.
아주 먼 미래에 대해 걱정하기도 하고,
희미해서 확신할 수 없는 지난날에 대한 나의 기억 속 "혹시 그랬
으면 어떡하지"라는 알 수 없는 순간을 걱정하기도 한다.
걱정하고 또 걱정해 봐도 알 수가 없었고, 더 나아지지도 않았고,
크게 달라지는 것도 없었다.
그저 잘 살아온 우리 삶을 의심하게만 했다.
답을 찾을 수 없다면 찾아내지 말자. 네가 잘해온 사실을 아는데
괜스레 의심하지도 말자.

"흔들리지 말고 너 자신을 온전히 믿어도 괜찮다."

좋은 것만 담아둬

무거운 생각들은 언젠가 날 가라앉게 할지 몰라
그러니 좋았던 기억만 품에 안고 나아가자

–

걱정과 불안, 두려운 감정은 무게가 많이 나가서
힘을 더 사용하게 만든다.
저 멀리 나아가야 하는 우리를 가라앉게 하면 안 되니까
무겁지 않은 기억과 생각만 챙겨 나가자.
무겁게 다 챙겨가지 않아도 된다. 쓸모가 하나도 없다.
네가 좋아하는 것만 담아서 출발하자.

걱정의 늪

걱정이라는 늪에 빠지면
헤어 나오려 할수록 깊게 들어가진다
걱정 속에 빠져들지 않는 것이 좋겠지만
나도 모르게 그 안에 들어간다면
아무런 생각 하지 말고 그대로 있자
곧 사라질 의미 없는 걱정일 테니까

-

걱정은 하면 할수록 늘어난다.
걷잡을 수 없이 사람을 끌고 들어간다.
사람이니 걱정할 수밖에 없겠지만,
지나치게 빠져들지 않기를 바란다.
혹여나 빠져버린다면 생각을 멈춰야 한다.
잠시 생각하지 않은 상태로 기다리면 벗어날 수 있을 것이다.
금방 사라지게 될 걱정이니 오래 붙잡고 있지 않아도 된다.

한숨 안에 담긴 마음

세상에 쉬운 일이 하나도 없다
용기를 내기 위해 수많은 떨림을 견뎌야 하고
소중함을 지키기 위해 자존심을 포기해야 한다
앞으로 나아가기 위해선 알 수 없는 내일에 맞서야 했고
가만히 자리에 멈춰서기에는
삶에 대한 불안한 마음
두려움과 조급함이라는 감정과 싸워 나를 지켜야 했다

-

조금 쉬고 싶다고 느낀 때가 많다.
그러나 세상은 계속해서 나를 앞으로 밀어내고는 했다.
하고 싶지 않았던 일도 해야 했고, 잘 모르더라도 시작해야 했다.
피로는 멈출 줄 모르듯 계속해서 쌓이고
고개를 잠시 들어보면 어느새 저녁, 눈을 깜빡이면 아침이 왔다.
말로는 다할 수 없었던 감정과 마음이 한숨으로 나오기 시작한다.
비록 바람은 짧게 불었지만 짙었고, 무거웠다.

나도 모르게 비교하게 될 때

비교하기 싫어도 어쩔 수 없이
비교할 수밖에 없는 게 사람 마음이다
하지만 우리는 그 마음을 지울 순 없어도
흘려보낼 수는 있다
대수롭지 않게 그저 나는 나
너는 너로 생각하면 된다

-

비교하기 싫은데 계속해서 비교하는 마음이 찾아온다.
나는 가지지 못한, 타인은 가진 부분이 눈에 밟힌다.

반대로 나에게는 있는, 타인에게 없는 부분도 있을 것이다.
모든 걸 다 가질 수는 없다. 이렇게 생각하면 된다.
나는 이걸 지녔고, 타인은 그걸 지녔구나.
서로가 가진 걸 보여주고 나누면 되지 않을까.
비교가 주는 좋은 점은 없으니까 별거 아닌 듯 넘겨도 된다.

원석

진가는 서서히 드러나기도 해
지금 당장은 눈에 보이지 않아서
너의 가치가 작다고 느낄 수 있지만
어쩌면 시간이 필요하고 걸린다는 것은
아직도 너의 가치와 가능성이
계속해서 생겨나고 있다는 거야
시간이 흐르면 넌 더 크게 빛날 거야

—

너는 원석 같은 사람이다.
지금 보석 속에 숨어 있어서 사람들의 시선에 잘 보이지 않을 뿐이다. 원석이 가진 힘은 상당하다. 보석 같은 내면을 가지고 있을지, 보석보다 더 빛나는 내면을 가지고 있을지 아무도 모른다.
나는 그런 네가 더 좋다.
오늘보다 내일 더 빛날 네가 좋다.

도약

그때 왜 그랬을까
지나간 과거에 대한 회의감이 몰려오더라도
이미 충분히 후회하고, 되새김을 겪었잖아
아직 우리에게는 어제보다
오늘과 내일의 날이 더 많이 있다는 걸 기억하자

–

만약 과거로 돌아갈 수 있다면 내가 더 잘할 수 있었을까.
실수도 남기지 않고, 아쉬움 하나 없이 돌아올 수 있을까.
아마 또 새로운 실수와 아쉬움이 나타날지도 모른다.
오늘을, 오늘의 순간을 봐야 한다. 오늘과 내일이 있는 것은, 더 나
아지고, 성장하라는 의미이다.
아직 기회는 남아있다. 너에게는 오늘과 내일의 순간이 너를 기다
리고 있다. 새로 해나가면 되는 거다. 처음부터 완벽한 건 없다. 완
벽 또한 넘어지고, 부딪힘을 겪어 완성된다.

너를 괴롭히는 사람들

생각보다도 더
본인밖에 모르는 사람들이 많다
타인의 이기심에 대해
괜히 아무런 잘못 없는 네가
자책하지 않았으면 좋겠다

–

밖으로 한 걸음 나갈 때마다, 조금 더 넓은 공간으로 나아갈 때마다 여러 사람을 마주하고 겪는다.
좋은 사람도 분명히 있지만 좋지 않은, 이기적인 사람과 이해되지 않는 사람을 참 많이 보게 된다. 혼자 사는 세상도 아닌데 마치 자신이 타인보다 우위에 있는 듯 거드름을 피우고 시선을 아래로 내려 함부로 하는 사람들이 싫다. 왜 열심히 잘살고 있는 사람들을 괴롭히는 것인지 아직도 여전히 모르겠다.
없어 보였다. 그런 사람들 곁에는 있고 싶지 않다.
그런 사람만은 되고 싶지 않다.

너의 봄날

너의 봄이 그 누구보다 따듯하기를
힘들고 속상했던 시간을 딛고
포근하고 다정한 순간이 네게 가득하기를

-

추운 겨울을 지나면 항상 따듯한 봄이 온다.
봄이 평소보다 조금 늦게 찾아올 때도 있지만,
영영 오지 않은 때는 없었다.
아직 봄이 오지 않았다면, 예전보다 더 따듯하고 포근한 온기를 담
아내느라 시간이 필요한 걸지도 몰라.
잠시만 기다리면 살며시 다가와 너를 반겨 줄 거야.
너는 봄 안에서 마음 편히 따듯함을 느끼면 돼.
나도 함께 너의 봄날을 기다릴게.

아팠던 마음

버티고 견뎌낸다는 것은
엄청난 용기와 힘이 필요한 일 같아
긴 시간 동안 혼자서
쉽지 않은 시간 속을 거닌
너의 마음은 얼마나 고되었을까
그 모든 순간들에게 위로를 건네

-

버티고 견뎌낸다는 것이 가장 힘든 일이다.
거센 바람이 불어와도, 억센 비가 내려와도 그 자리를 지킨다는 건
말은 쉬워도 어렵고, 사람을 지치게 만든다.
속이 속이 아니었을 거고, 때론 몸도 아팠을 거다.
아파도 아프다고 말하지 못한 너의 마음이 얼마나 아프고 고되었을
지 감히 가늠할 수 없지만, 너보다 훨씬 큰 무게를 오래 짊어지고
있었다는 걸 느낄 수 있었다.

"혼자 울었던 날, 혼자 앓았던 날, 혼자라서 외로웠던 모든 나날에
작은 위로를 건네 보내봅니다."

03 알잖아, 난 항상 네 편이야

말하지 않아도

너의 어깨가 오늘따라 유독 슬퍼 보이길래
아무런 일 없다고 말하는 너의 목소리가
거짓이라는 걸 누구보다 잘 알기에
그래서 그냥 너를 꼭 안아버렸어
나는 늘 너의 편인 걸 알아줘

-

너의 얼굴을 보면 알 수 있다.
오늘 무슨 일이 있었구나, 지금 지쳤고, 힘든 상태구나.
때로는 백 마디의 말보다
한 가지의 행동이 더 좋을 때가 있잖아.
고생했다는 마음을 내 안에 꾹 눌러 담아서 너를 안았어.
말소리는 들리지 않았지만 우리는 서로의 이야기를 들었어.

쉼

내가 아는 너는 분명 할 수 있어
지금은 너에게 잠시 쉬어가는 순간인 거야
잠시 멈춰서서 하늘도 바라보고
너의 곁을 지켜주는 사람들을 돌아봐봐
너의 뒤에는 묵묵히 너를 응원하는 사람이 있고
그런 우리는 항상 너의 편인 걸 잊지 마

—

바쁘게 달려왔으니 얼마나 휴식이 필요하겠어.
물감을 풀어놓은 듯한 파란 하늘을 바라보거나
동네에 있는 너만 알고 있는 장소에 다녀오거나
길을 지나가는 강아지를 바라보며 잠시 웃거나
소중한 너의 사람들에게 오랜만에 안부를 묻거나.
말은 하지 않았어도 네가 잘 지내고 있는지, 밥은 잘 챙겨 먹는지
궁금할 거야. 괜히 부담을 준다는 생각에 티 내지 않았던
너의 사람들이 곁에 있어. 언제나 너를 믿고 응원하고 있어.

가장 좋은 선택

맞아 나는 너의 행복이 제일 중요해
네가 행복할 수 있다면
너의 어떠한 선택을
얼마든지 존중할 거야

–

너의 삶에서 가장 중요한 존재가 너잖아.
네가 네 삶을 선택하는 것이 맞는 거야.
나는 그저 그런 너를 바라보며 열렬히 응원하는 거고.
단지 너의 행복을 그 누구보다 바라는 사람으로서
네가 조금이라도 더 행복할 수 있는 선택을 했으면 좋겠어.

전환

그냥 네가 행복했으면 좋겠어
온전히 편안했으면 좋겠어
지나간 순간에 너의 소중한 마음을 쓰지 말고
하나둘 털고 일어나서
다시 새롭게 너를 시작했으면 좋겠어

–

다시 시작한다는 것에 두려움이 생길지도 몰라.
막상 쉽지 않을 수도 있어.
하지만 나는 언제나 너를 응원하고 있으니까
네 마음이 가는 대로 해도 괜찮아
분명 너의 새로운 시작이 되어 더 너를 행복하게 해줄 거야.

반등

넘어지면 다시 일어서면 되듯이
시작이 조금 삐끗하였다면
다음에 더 비상하면 된다
아직 가능성은 남아있고
우리 역시 멈추지 않았기에

—

한 번에 성공하리라는 법은 없다.
한 번에 성공해야만 하는 것도 아니다.
한 번에 해내지 못했다고 하여 네가 실패한 것도 아니다.
오히려 계기로 삼아 더 멀리 나아갈 수 있는 것이다.

신뢰

한 번도 너를 믿지 않았던 적이 없었다
남들이 뭐라 말해도 나는 너의 가능성이 보였고
네가 시간이 걸려도 반드시 해낼 거라 믿었다
내가 너의 든든한 버팀목이 될 테니
너는 나를 믿고, 높이 날아가면 된다

–

사람의 느낌이 있다.
"이 사람은 해내겠다.", "이 사람은 환하게 나아가겠다."
그동안 네가 보여준 말과 행동에서도 볼 수 있다.
너를 오래 본 사람의 말을 믿어.
네 곁을 오래 지키는 사람의 말을 믿어.
너는 더욱 비상할 거야.

너의 모든 하루

오늘 너의 하루는 어땠는지 궁금해
아무런 별일 없이 행복했는지
아니면 생각하지 못한 일이 일어나서
혹시나 너를 힘들게 한 것은 아닐지
앞으로도 여러 하루가 펼쳐지고
매 순간 다른 감정들을 느끼게 되겠지만
변함없는 것은, 너의 모든 하루 중
무의미한 순간은 없다는 거야

-

오늘 하루가 어땠는지, 별일은 없었는지 네게 물었어.
너와 떨어져 있을 때마다 곁에 내가 없으니
너의 하루가 궁금하면서 한 편으로는 걱정도 했어.
내 눈에 너는 충분히 잘하고 있는데
스스로 엄격하게 대할까 봐.

"네가 걸어온 길에 별들이 찬란하게 펼쳐져 있더라"

너의 연락을 기다릴게

네가 외로울 때, 너의 옆에 서서
너를 힘들게 한 사람들은 같이 욕해주고
힘겨운 현실에 잠시 무너질 때
가던 길을 멈춰서 너를 기다릴게
언제라도 상관없으니 마음 편하게 나를 찾아줘

-

너에게서 오는 연락은 번개처럼 빠르게 받을 수 있다.
전화로 하소연하고 싶을 때,
마음이 답답해 이야기하고 싶을 때,
깊은 밤, 잠이 찾아오지 않을 때
그 언제라도 네가 나를 찾아준다면 기꺼이 너를 향해 갈게
나는 언제든 준비되어 있어.

내 사람을 구분하는 방법

정말로 너를 아끼고 좋아하는 사람은
네가 사소한 이유로라도 상처받을 일 없게 해
혹시나 상처가 되지는 않을까
혹시나 내가 실수를 한 것은 아닐까
고민하고 생각한 후에 너를 대하기 때문이야

—

상처를 다 주고 나서 마치 선심을 썼다는 듯
"다 너를 위해서 하는 말이야."라고 말하는 사람이 있다.
애초에 원하지도 않았고, 타인이 받게 될 상처를 배려하지 못하는
사람을 앞으로도 계속 보고 싶지 않았다.
많은 인연을 가지는 것보다는
확실한 좋은 인연만을 가지고 싶다.

다정한 사람

변함없는 다정함을 건넬 줄 아는 사람이 될게
세상이 아무리 날 서고, 냉정히 변해도
나의 온기를 묵묵히 지켜서 전할게
너의 주변은 그저 따듯했으면 좋겠어

-

남들이 다 차가워져도 나는 따뜻한 사람이 되고 싶어
차가운 사람만 있으면 너무 냉랭해서 다 얼어버릴지도 몰라.
내가 좋아하는 사람의 주변은 항상 따듯했으면 좋겠어.
새싹과 꽃이 아름답게 피어나 네 곁을 맴돌았으면 해

"네가 다정하고 따듯한 사람이 좋다고 하길래."

장담해 본다면

모두가 안 된다고 말할 때
나는 너를 믿는다고 말할 거야
희망은 가진 자에게 찾아오기 마련이고
나는 네가 꼭 해낼 것 같아
너의 가능성을 믿고 응원해

–

희망은 가지고 있는 자에게는 기회가 찾아온다.
너는 희망과 기회를 모두 가질 수 있는 사람이다.
아직 제대로 이룬 것이 없다며 포기하기에는 이르다.
이룬 것이 없다면, 이제 이뤄나가기만 하면 되는 거니까.
시작하는 사람들의 가능성은 예측이 불가하다.
그래서 더욱 기대된다.
얼마나 멋지게 해낼지,
상상해 보지도 못한 순간을 현실로 가져오는 건 아닐지.

상대가 원하는 것

원하지 않은 조언은
그저 간섭에 불과하다
부딪히면서 배우고 성장할 테니
그저 따듯한 응원으로 독려해 주기를

-

조언과 간섭은 엄연히 다르다.
간섭과 비슷한 말로는 오지랖이 있다.
어련히 알아서 잘 해낼 수 있을 거다.
원할 때까지 기다려주는 일 또한 필요한 법이다.

화백

네가 원하는 삶을 그리며 살아
지금 당장은 상상으로 치부될지는 몰라도
언젠가 분명 현실이 되어 너를 찾아올 테니까

–

붓도 나에게 있습니다.
물감도 나에게 있습니다.
캔버스도 나에게 있습니다.
모든 도구가 나 나에게 있으며, 내가 쥐고 있습니다.
무엇을 그리든 작품이 되어줄 것입니다.
그러니 마음껏 그리고, 그리세요.

너의 세상은

내가 너에게 건넨 마음에는
그 어떤 대가도 바라지 않았어
그러니 너는 지금처럼 나 말고도
많은 이들의 사랑을 받으며 행복했으면 해
나의 세상은 너로 채웠지만
너의 세상은 무한한 행복으로 채워지기를 원해

–

나는 네가 나 말고도 많은 사람의 사랑을 받으면 좋겠다.
너는 무수한 사랑을 받아야 하는 사람이라고 생각하니까.
내가 건넨 모든 것들을 당연하게 받아도 돼.
내가 주고 싶어서 너에게 주는 거였어.
나도 너에게 받은 것이 참 많아. 네가 없었다면 느끼지 못할
검정을 통해 행복을 찾아 나설 수 있었어.
그런 너의 세상은 행복만이 존재하고 가득했으면 해.

내 사람이 주는 응원

부족하였다고 해서
계속 부족하지는 않을 거잖아
너의 노력으로 채워나갈 수 있어
이 과정에서 함부로 단정 짓고
쉽게 단언하여 치부하는 사람과
묵묵히 너를 응원하는 사람이 나뉠 거고
너는 응원만 안고 나아가면 돼

-

묵묵히 너를 응원해 준 사람들을 기억하자.
나를 믿고 응원해 준 사람들은 잊히지 않는다.
출발을 앞둔 너에게 해주고 싶은 말은 한 가지다.
좋은 말을 건네줬던 사람들과 그 응원만을 안고 나아가자.
좋은 것만 마음속에 품고, 좋은 생각을 하자.

날개

네가 하는 일 자체가 특별하고 중요해
소중한 너의 앞날에 무한한 응원을 보내니
기죽지 말고 자신 있게 나아가

–

너의 날개를 부러뜨리지 말고 활짝 펴서 날아가.
내가 줄 수 있는 응원을 모두 전해줄 테니
네가 가고자 했던 곳에 도달하기를 바랄게.

항해

좋아하는 것이 가득한 방향으로 나아가자
삶에서 도전해 볼 가치는 충분하니까
정해진 길을 꼭 가야만 하는 건 아니니까
한 번쯤은 마음이 이끌리는 대로 움직여도 괜찮잖아

-

나의 목적지는 내가 좋아하는 것으로 가득 채운 곳이야.
한 번뿐인 내 삶에 이왕이면 좋은 것들로 채우고 싶어.
좋아하는 방향으로 나아가고자 하는 일이
나쁜 것도 아니고, 쓸모없는 일도 아니잖아.
그 자체만으로도 충분히 가치 있는 일이야.

"무엇이든, 어떤 것이든 좋아.
좋아하는 것이 있다는 것은 엄청난 행운이야."

신념

착한 마음이
결국 강한 거야
따듯한 온기는 세상을 녹일 테니까
흔들리지 말고, 네 신념을 살면 돼

–

상대를 배려하는 게 좋았고,
조금이라도 더 편하게 해주고 싶었을 뿐이다.
그렇게 살면 손해 본다는 말을 듣곤 들을 때마다
내가 너무 과하게 하는 건가 생각하게 되었다.
나에게는 손해를 보는 것보다,
지금 내 눈앞의 상대가 상처받지 않는 것이 더 중요하다.
각자가 중요하게 생각하는 것이 있고, 다르니까
우리는 우리의 신념대로 행동하자.

꿈에서 현실까지

해보기 전에는 모르는 거야
꿈을 꾸는 건 자유이고
충분히 네가 원하는 순간들을
그려내고 이뤄낼 수 있다고 난 믿어
너의 꿈은 머지않아 현실이 될 거야

-

해보지 않았는데 결과가 벌써 예상하는 것은 성급한 것 같아.
그 예상이 정확한지, 정확하지 않은지도 아직 모르잖아.
오히려 해낼 것만 같아.
네가 하고 싶다고 말한 일, 상상했던 꿈이 현실로 펼쳐질 것 같아.
누구나 마음껏 꿈을 꿀 수 있어.
그리고 누구나 그려왔던 꿈을 현실로 가져올 수도 있어.

도전이 이기는 날

결과가 좋은 것도 좋지만
때로는 과정에 비해
결과가 마음에 들지 않을 때도 있어
그렇다고 해서 노력하지 않은 건 아니잖아
너무 좌절하지는 마
도전은 결국에 결과를 이기길 마련이니까

–

열심히 준비해서 도전했는데 결과가 아쉬울 때가 있다.
그건 내 노력이 잘못된 것도, 내가 재능이 없는 것도 아니라
운이 조금 부족한 거였다.
운은 우리가 어떻게 할 수 있는 것이 아니고
내가 계속해서 도전하다 보면 언젠가 나를 찾아올지도 모른다.
끊임없는 우리의 도전 앞에 언젠가 운과 결과 모두
내 편에 서는 날이 올 것이다.
그날을 기다리며 포기하지 말자.

비 온 뒤 땅이 굳는 법

몇 번을 넘어지게 되더라도
계속해서 다시 일어서면
얼마든지 만회할 수 있어
보다 더 큰 꿈을 꾸면 돼
보다 더 나은 사람이 되면 돼

-

비 온 뒤에 땅이 굳는 것처럼
넘어지고 다시 일어설 때 더욱 강해져 있을 거야.
넘어지면 뭐 어때.
다시 일어서면 그만이잖아.
다시 일어서서 더 멀리 나아가면 되는 거야.

"절대 너의 흠이 되지 않을 거야."

각기 다른 꿈

그 어떤 꿈이라도 좋아
꿈이 있다는 건 그 자체만으로도
충분히 멋진 일이잖아
혹여 넘어지거나 어긋나는 일이 생기면
다시 또 새로운 꿈을 꾸면 돼
우리는 꿈꾸는 대로 살아갈 수 있어

–

어렸을 때, 하고 싶은 일이 참 많아서 꿈도 자주 바뀌곤 했다.
시간이 지난 지금에도 여전히 하고 싶은 일이 많다.
아직 배워보지 못한 것도 있고, 생전 해보지 못한 것도 있다.
굳이 거창해야만 꿈은 아니니까.
지금 네 마음을 찾아온 꿈을 반겨줬으면 해.
만약 꿈을 놓게 되어 잘 안된다 해도 괜찮아. 얼마 안 가 새로운
꿈을 또 만날 수 있을 거야. 네가 꿈을 이룰 수 있는 날은 많아.

다신 오지 않을 기회

눈치 보지 않아도 괜찮아
마음껏 도전하고
마음껏 도전해
오히려 기회일지도 몰라
네가 걸어온 길
좋아한 모든 것 중
어떤 헛된 것도 없으니까

–

때가 온 거야.
도전하는 것에 있어 타인의 눈치는 중요하지 않아.
기회가 도망가기 전에 마음껏 도전해 보기를 바라.
너는 네가 아직 능력이 없다고 말하지만,
그 능력을 채우기 위해 도전하는 거야.
너의 발걸음과 길에서 있었던 일 중
단 하나도 무의미한 건 없었어.

내면의 소리

이미 늦었다는 타인의 말에
이대로 멈추기에는 아깝다
미련이 내 곁에서 머무르지 않게
그래도 내가 이만큼 해냈구나
후련함을 느낄 수 있다면
그걸로 충분히 됐다. 그 또한 성공이다

–

늦게 출발해도 도착은 할 수 있지 않을까.
만약 도착이 어렵다고 해도 그 근처까지는 갈 수 있지 않을까.
지금보다는 더 가까이 다가가 있지 않을까.

되돌아봐

네가 좋으면 좋은 거고
네가 원하면 그게 맞는 길이야
타인의 시선에 주눅들 필요도
멈출 필요도 없이
처음부터 네가 느꼈던 그 마음으로
차근히 하나씩 나아가길 바랄게

-

타인의 시선을 보며 눈치를 보고는 했던 지난날을 되돌아본다.
그때의 너는 정녕 행복했을까.
나는 조금이라도 네가 좋아하는 걸로 삶을 채웠으면 해
네 삶인데 네가 원하는 대로 해보면 어때.
누군가에게 피해를 주지 않는 일이라면 뭐든 괜찮을 거야.
오래전부터 해보고 싶었던 일 하나씩 해보기로 해.

너에게 달려가고 싶었던 날

별일 없냐는 나의 물음에
너는 "괜찮아, 견딜만해."라고 답했다
혹여 네 상황에 내가 마음 아파할까
네가 나를 배려하는 게 느껴졌다
있잖아, 네가 나를 붙잡고
마음껏 푸념하며 한탄해도 괜찮아
너 혼자 마음 아프게 두고 싶진 않아

–

"세상에 너랑 나랑 둘만 남게 된다면,
네가 마음 아플 일이 없을 텐데."

수화기 너머로

네가 부정하지 않았으면 좋겠어
너는 꽤 멋진 사람이라는 것
사실 그 이상으로 빛난다는 것
그런 너를 많은 이들이 좋아한다는 것
항상 너의 곁에 누군가가 있다는 것

-

틈이 날 때 너와 전화 통화를 했다.
너는 네가 스스로 생각할 때 부족한 점도 많고, 고치고 싶은 부분
도 많아 한심해 보인다고 말했어.
너의 이야기를 들으며 곰곰이 생각했어.
그냥 하는 말이 아니라 그동안 너를 보면서 느낀 거야.
전화기를 고쳐 들고 살짝 장난기가 섞인 목소리로 너에게 말했지.

"지금의 너도 좋은데 얼마나 더 완벽해지고 싶은 거야?"

빛의 색으로 물든 길

조금 시간이 걸려도 괜찮아
조금 속도가 더뎌도 괜찮아
결코 멈춰있는 게 아닌걸
결국 나아간다는 의미잖아
우린 과정마저 빛나고 있어

–

걸어 올라가며 느꼈다. 참 순탄치 않은 길이었다.
예상한 것보다 시간이 더 걸렸다.
길도 헤매고, 넘어져도 보고, 잠시 쉬어가기도 했다.
문득 뒤를 돌아보지 않았다면 몰랐을 것이다.
힘들기만 하다고 느꼈던 길이 빛으로 일렁거리고 있었다.
모두 우리가 거쳐 온 길이다.

내가 말했잖아

거봐, 우리 결국 해냈잖아
네가 믿는 만큼 너는 할 수 있어
처음은 당연히 서툴 수밖에 없던 거야

-

이제야 말하는 거긴 하지만
나는 네가 해낼 줄 알았어.
그래서 크게 걱정하지도, 불안해하지도 않았어.
이렇게 잘 해낼 너를 이미 알았으니까.

굳은 심지

마음먹으면
못할 일이 없어
간절히 원하고 바랐던 일이
꼭 현실이 되어 나타날 거야
우리는 분명히 해낼 거야

–

너의 열정은 불꽃으로 피어날 것이다.
불꽃이 터질 때 그려내는 웅장함에 사람들은 압도당할 것이고,
너는 계속해서 높이 날아갈 것이다.
절대로 꺼지지 않을 것이다.

"이왕 타오를 거면 확실하게 타올랐으면 해"

보란 듯이

네가 얼마나 대단한 사람인지
많은 사람에게 보여줘
너의 무수한 가치와
네가 지금까지 걸어온 노력
결코 포기하지 않았던 순간들
단 한 순간도 쉬웠던 적 없었잖아
모두 네가 만들었고 해낸 거야

\-

보란 듯이 해냈다.
보란 듯이 이루어냈다.
보란 듯이 견뎠고, 결국 증명해 냈다.
내가 절대로 하지 못할 거라고 단정 짓고 무시했던 많은 사람은
지금 어떤 생각과 표정을 하고 있을까.

새로운 출발선

이제라도 하면 되는 거야
하고 싶었던 일, 원했던 일
걱정이 앞서 미처 못했던 일
그 무엇이든지 다 괜찮아
지금, 현재의 너를 위해 살아가면 돼
조금 늦고 뒤처지는 거는
전혀 문제가 되지 않으니까

–

지금의 네가 하고 싶은 일은 무엇인지 생각해.
하나도 생뚱맞지 않은걸.
오랜 시간 마음속에 담아두기만 했던 일
이제 현실로 꺼내 보자.
언제까지 마음에만 담아둘 수는 없으니까.
많은 시간이 지나고 후회하기 전에, 이제라도 해보기로 해.

좋아하는 것

우리 각자 소신대로 살자
눈치 보지 말고
걱정하지 말고
내가 좋아하는 것들을
더 좋아하고 아끼면서
그 누구보다 행복하게 살아가자

–

사람마다 좋아하는 것은 다 다르니까.
서로의 취향을 존중하면서 살아갔으면 해.
좋아하는 것을 마음껏 좋아한다는 건 나쁜 일이 아니잖아.
좋아하는 일을 하며 행복하게 살아갔으면 해.
네가 많이 웃고, 진심으로 기뻐했으면 좋겠어.

방해꾼

막상 지나고 보면
내가 걱정했던 것만큼의
문제가 생겼던 적은 거의 없었다
혹시나 하는 마음과 걱정은 가끔
나아가는 우리를 멈추게 만들기도 한다
그러니 이번에는 그동안의 너를 믿고
포기하지 말고 힘차게 나아가기를

_

내 발걸음을 멈추게 하는 건 불쑥 찾아오는 쓸모없는 걱정이었다.
걱정은 항상 전날 밤까지만 존재하고,
당일 순간이 되면 거짓말처럼 사라졌다.
걱정은 그저 걱정에서만 머무를 테니까
걱정 속에 깊게 머무르지 않았으면 좋겠다.

진정한 내 사람

필요로 의해서만
너를 찾는 사람 말고
네가 무엇을 하든, 아무것도 하지 않는
변함없이 너의 옆에 있는 사람을 곁에 두고
너 또한 그런 사람이 되어주기를

-

내가 필요하지 않게 된다면, 나를 내칠 인연이다.
나도 굳이 그런 사람을 곁에 두고 싶지 않다.
나를 있는 그대로 바라봐주는 사람이 좋다.
나 또한 너에게 그런 사람이 되어줄 것이다.
있는 그대로 너를 바라보며, 변함없는 마음으로 너를 대하는
그런 사람이 되어줄 것이다.

인연을 정리하는 법

끊어내야 할 인연은
과감히 끊어내어야 한다
그런 사람은 대부분 너의 여린 마음과
정이 많은 면을 이용하여
너를 더 힘들게 만드니까
네가 그 사람으로 인해
아파야 하는 이유는 없다

-

예전에는 많은 인연을 끝까지 안고 가고 싶었다.
사람을 끊어내는 일이 익숙하지도 않았고, 무서웠다.
그러면 그럴수록 나는 더욱 힘들어지고는 했다.
내 잘못이 아닌데도 붙잡기 위해 사과를 하고, 눈치를 보았다.
사실 그러지 않아도 되었는데.
그럴 필요가 없는데.
인연은 새롭게 만나기도 한다. 더 좋은 인연이 다가올 테니
아닌 인연은 흔쾌히 끊어내도 괜찮다.

귀한 너의 마음

좋아하는 사람들한테도
나눠주기 부족한 내 마음이야
그러니 널 싫어하는 사람들이나
널 함부로 대하는 사람들이랄까
그런 사람들에게 신경 쓰지 마
그런 사람들에게 상처받지 말자
그저 그러려니 생각하며
널 좋아하고 좋아해 주는 사람들에게
내 마음을 다하자

-

분명 나를 좋아해 주는 사람이 나를 싫어하는 사람보다 훨씬 더 많
다는 사실을 알아도 신경은 자꾸만 싫어하는 사람에게 쓰인다.
어쩌면 나를 싫어하는 사람이 나를 좋아해 주었으면 하는 마음이
있어서일지도 모른다.
세상에 모든 사람이 다 나를 좋아할 수는 없다고 한다.
나를 싫어하는 사람이 있어도 그저 그러려니 넘기자.
그 사람들에게 상처받기엔 내 마음이 너무 아까우니까.

오늘 하루의 마무리

마음 편히 쉬고
마음 편히 웃고
마음 편히 오늘 하루를 정리할 수 있기를

–

너의 마음이 편안했으면 좋겠다.
푹 쉬면서 체력도 보충하고
아무런 걱정 없이 재미난 영상을 보며 크게 웃기도 하고
소박하면서 소중하게 하루를 마무리했으면 좋겠다.
하루가 거창하지 않아도 돼.
이미 너로서 너의 하루는 특별하니까.

낙천적으로 생각하는 이유

어떻게든 잘 해내겠지
어떻게든 잘 되겠지
가끔은 이런 막연한 생각들이 필요해
가득한 걱정 속 숨을 쉴 수 있으니까

-

가능하면 낙천적으로 생각하고 긍정적으로 바라보려 한다.
걱정만이 가득하면 답답하기도 하고
금방 지치고, 힘이 들기 때문이다.
가끔은 숨통도 트여야 하고 가만히 두고 싶기도 하잖아.
그래서 막연히 잘될 거라고 믿으며 하루를 보내.
거짓말처럼 정말 잘 될지도 모르잖아.

"생각하는 대로 이루어졌으면 좋겠다."

달에게 한 부탁

하늘에 떠 있는 달에게 부탁했어
행복했으면 좋겠다고
네 몫까지 행복했으면 좋겠다고
내 몫까지 모두 네가 행복했으면 좋겠어
너에겐 좋은 일만 있었으면 좋겠어
네가 혼자 우는 일은 없게 해달라고도 부탁했어
혹시라도 네가 미치도록 슬퍼 울 때는
네 옆에 꼭 내가 있어 달라고, 달에게 부탁했어

-

하늘을 봤는데 달이 밝게 빛나고 있더라고.
그 자리에서 달을 바라보며 부탁했어.
나를 빤히 바라보고 있는 달이 이루어줄 것만 같았어.
네가 행복했으면 좋겠다고 부탁했어.
내가 사랑하는 네가 많이 행복했으면 좋겠어.
내가 너를 울리는 일이 없었으면 좋겠고,
네가 혼자 우는 일도 없었으면 한다고.
혹시라도 네가 눈물을 쏟아내야 하는 날이 온다면
그 옆에 부디 내가 있을 수 있게 해달라고 부탁했어.

자신감 가져도 돼

네가 아닌 사람들의 시선을 두려워하지 않았으면 해
네가 아니니까 사람들은 너를 잘 몰라
오직 너만이 너를 아는 거야
네가 아닌 사람들은 네가 아니니까
그저 본인들의 눈에 보이는 대로 널 보고 있지만
진짜는 그게 아니란 걸 잊지 마
진짜는 나를 보는 나 자신이야

-

너를 모르는 사람들의 시선과 말에
네가 흔들리지 않았으면 좋겠다.

"세상에서 너를 가장 잘 아는 사람은 너야.
아무리 타인이 너를 많이 알아도 너만큼은 아니야."

소리 없는 응원의 힘

혼자라고 느껴질 때
앞에 머물렀던 시선을 뒤로 돌려봐
잠시 돌아본 너의 뒤에는
네가 잠시 잊고 있던 존재들이 있어
네 생각보다 더 많은 사람이 널 지켜줄 거야

_

말은 하지 않았지만, 마음속 깊이 너를 응원하고 있어.
너의 뒤를 지키며, 네가 걷는 길을 같이 걷는 사람이 있어.
옆에서 나란히 걸으면 혹여 네가 부담될 수도 있고
신경이 쓰일 수도 있잖아.
그래서 뒤에서 한 걸음씩 걸었어.
네가 넘어지면 한달음에 달려올 사람들이 있어.
네가 멈추면 그 자리에 멈춰서 계속 기다릴 거야.
앞으로도 지금처럼 소리 없이 너를 응원할게.

04 잠깐만, 우리 이대로 계속 있자

널 오래 보면서 느꼈어

네가 무슨 행동을 해도
이해하고 용서할 수 있어
그건 그만큼 내가 너를 믿고 있다는 거야

－

네가 어떤 사람인지 내가 곁에서 봤잖아.
단지 찰나의 표정과 행동으로 네가 어떠한 사람으로 단정되는 것이
싫어. 너에게 어떠한 생각이 있지 않을까.
너에게 어떠한 사정이 있지 않을까.
네가 이유 없이 그럴 사람이 아니라는 것을 나는 믿으니까.

너를 꼭 안고 전한 마음

수많은 걱정과 불안의 이유 속에서
너는 유일한 내 삶의 이유가 되어
나를 흔들리지 않게, 무너지지 않게 지켜주고 손잡아주었다
이제는 내가 너를 지켜주고 잡아줄게

_

지금, 이 순간의 내가 있을 수 있게 하여준 사람이 너야.
나의 내일을 누구보다 기대해 주고 응원해 준 네게 너무 고마워.
너를 만나면 항상 고마운 마음이 넘쳐흘러.
사랑하고, 고맙고, 소중한 감정만 있어.
그 마음을 다 담아서 어여쁜 너에게 보내.

마침표

보잘것없는 삶이라기에는
너무 행복했고
완벽한 삶이라기에는
아픈 기억이 너무 많은 삶이었다

-

언젠가 내 삶을 끝마치게 되었을 때,
나의 삶에 관해 이야기를 풀어나갈 때.
가장 맨 처음으로 나올 말 같아.
어쩌면 인생을 표현하는 문장이지 않을까도 싶다.
함부로 누군가의 삶이 어땠는지 단정할 수도 없다.
그저 지금까지 잘 버텨오고, 잘 살아왔다는 것에 중점을 두자.

"나는 네가 있어서 조금 더 행복한 삶이었어."

한 컷

내 기억 깊은 곳에는
네가 머물렀으면 해
무슨 일이 있어도
너와의 시간을 잊지 않을게
내 삶의 마지막 날까지
너와의 순간을 그릴 거야

–

기쁘고, 즐겁고, 행복했던 기억을 오래 안고 살아가고 싶어.
그 기억 속에는 온통 네가 함께 있어.
네가 내 기억에서 사라지지 않았으면 좋겠어.
내가 너를 절대로 잊어버리지도 않았으면 좋겠어.
너와의 시간과 추억을 반드시 지켜내고만 싶어.

각인

너와 보내는 하루가 너무나 소중해서
모든 순간이 기억되기를 원해
시간이 지날수록 흐려지는 게 아니라
더욱 짙어져서 헤어 나오지 못하게끔
네 안에 있고 싶어

-

이토록 누군가를 좋아할 수 있어서
그 사람이 너라서 참 고마워
너와 함께한 모든 하루를 기억하고만 싶어
분명 그 순간들이 내 삶에서 가장 찬란하게 빛나는
큰 행복일 테니까.

사랑하는 사람에게

마치 꿈만 같아
네가 내 곁에 있다는 것
내가 너와 함께할 수 있다는 것
너로 인해 내 삶은 많이 행복해
우리의 행복이 영원하기를
계속해서 너에게 깊이 빠져들기를

–

사랑하는 사람들을 떠올렸다.
마음이 편안했고, 생각만으로 애틋하고 소중했다.
내 곁에 머물러줘서, 나와 함께해줘서
한 사람의 삶이 벅차게 행복할 수 있었다.
욕심을 부리고 싶어졌다.
사랑하는 사람에게는 행복만 안겨주고 싶다.

우리 행복만 해

내 행복은 너에게서 온다
너의 응원과 위로는
지금의 나를 만들어주었고
너와 함께 보낸 시간 속
나는 그 누구보다 행복했다
이제는 내가 너를 그 누구보다 행복하게 해줄 것이다

-

소중한 내 사람에게 행복을 가득 안겨다 줄 것이다.
그래서 더욱 열심히 살아가야 한다.
성실하게, 바른 태도로 임하며 하루를 살아가야겠다.
꾸준히 노력하다 보면 언젠가 내가 너에게 주고 싶었던 행복을 만
날 수 있을 것이며, 나는 단번에 그 행복을 안아 너를 향해 달려갈
것이다.

"조금만 기다려줘, 금방 너를 향해 갈게."

구름 위를 걷는 기분

너랑 함께하는 시간이 즐거워
앞으로 남은 내 삶을 너를 위해
살고 싶을 만큼 말이야
너는 내게 그런 존재야
어여쁘고 좋은 것만 주고 싶어

–

내가 웃음이 이렇게 많은 사람인지 몰랐다.
나도 너처럼 환하게 웃을 수 있는 사람이었구나.
태어나서 처음 느껴보는 감정이야.
부디 우리 오래 보았으면 좋겠다.
내가 너에게 더 좋은 사람이 될게.

내 삶의 이유

가끔 삶이란 무엇일까
회의감이 찾아오고는 한다
많은 것을 욕심내어 가지고 싶지도, 원하지도 않는다
그저 소중한 사람들을 지키며
함께 오래 행복하고 싶다

—

많은 돈을 가지고 싶지는 않다. 어떠한 명예와 권력도 필요 없다.
그저 지금처럼 눈이 내려 쌓이면
함께 눈사람을 만드는 사람이 있으면 되고,
숟가락을 들고 아이스크림을 나눠 먹을 사람이 있으면 되고,
올림픽이나 월드컵 경기 영상을 볼 때, 마치 우리가 현장에 있는
것처럼 열렬하게 응원할 수 있으면 된다.
이것만으로도 나에게는 큰 행복이고,
앞으로도 계속 살아갈 힘이 된다.
간결하지만 확실한 내 삶의 이유이다.

행복하기를

가끔 이렇게 행복해도 되나 라고, 느낄 때가 있을 것이다
그럴 때는 그저 아무런 걱정 하지 말고
주어진 행복을 온전히 느끼자
우리는 행복해도 되는 사람들이니까

–

너에게도 큰 행복이 기다리고 있어.
행복이 너를 찾아온다면 걱정하지 말고 온전히 느껴도 돼.
너도 행복할 수 있고,
행복은 타인에게만 존재하는 것이 아니야.
행복이 너에게도 익숙했으면 좋겠어.

"사람은 누구나 행복할 수 있어.
곧 너에게도 행복이 찾아올 거야."

미래

너와 함께할 수 있다면
남아있는 나의 시간과 수많은 나날이 전부
행복으로 가득할 거라고
감히 예상을 해보려 해

–

너와 함께하면 정말 행복할 것 같아
그것도 많이, 행복할 것 같아
지금의 나처럼 미래의 나도 행복할 거야.
너와 함께하는 모든 날은 행복만 할 거야.

종착

좋은 사람들을 만나
좋은 추억들을 만들었다
덧없이 행복한 삶이었다

—

행복은 언제나 늘 나의 가까이에 있었다.
비록 내가 늦게 깨달았을 뿐이다.
돌이켜보면 좋은 사람들을 많이 만났고, 좋은 일이 있었다.
아쉬운 점은 그런 사람들에게, 나를 좋아해 주는 사람들에게 많은
관심과 온도를 전해주지 못한 것이다.
서툴고 부족한 부분이 많았던 나의 삶을 애정과 사랑으로 채워준
소중한 나의 모든 인연에 감사함을 전해보는 순간이다.

소중한 다짐

내 사람들에게 최선을 다하며
다가올 내일을 기대하며
하루하루 감사하며 살아갈게
내가 그토록 원했던 꿈들이 현실이 된다면
그건 모두 내 곁에 있어 준 사람들 덕분일 거야

-

덕분에 더 나은 사람이 될 수 있었다.
더 성장한 사람이 될 수 있었다고 느낀다.
아직 노력해야 할 부분이 많지만,
차곡히 쌓아나갈 것이다.
훗날 언젠가 내가 원했던 순간이 현실로 펼쳐진다면
그건 모두 너와 내 사람들이 보내준 응원과 위로 덕분일 거야.

"내 곁에 있어 줘서 고마워."

잘 해냈다

두렵고 불안했음에도
우리 한 발짝 나아갔어
그 과정을 견뎠다는 것만으로도
잘한 거라고, 애썼다고 말해주고 싶어

–

한 걸음 내딛는 일 또한 쉬운 일이 아니잖아.
그 어려움을 딛고 한 걸음 나아간 너야.
나는 네가 너무나 자랑스럽고, 기특한 마음이 가득해.
도저히 두려운 마음에 멈출 수도 있고,
뒷걸음 할 수도 있었는데 너는 한 발 나아갔어.
잘 해낸 거야. 네가 할 수 있는 일 그 이상을 해낸 거야.
충분히 애썼어. 고생했어.

우리라면

살다 보면 좋은 일이 더 많을 거라는데
그 말 한번 믿어보려고 한다
그러니 너도 나를 봐서라도
한 번만 더 믿고 함께해주었으면 좋겠다
우리 둘이라면 작은 행복도 크고
깊이 소중해할 테니까
부디 우리 앞으로 행복만 했으면

-

우리라면 좋은 일을 함께 만들어갈 수 있지 않을까.
우리라면 작은 행복을 많이 만들어 볼 수 있지 않을까.
나를 한 번만 봐주고 믿어준다면 해보도록 할게.
좋은 일도 함께 만들어가고, 작은 행복도 많이 만들어 보자.
사소한 거에 행복해하는 우리 둘이잖아.
절대 서로에게 함부로 하지 않을 우리잖아.
우리가 더해지면 분명 행복도 더 깊어질 거야.
좋은 일도 많이 생겨날 거야.

함께 걷자

우린 무너지지 않을 거야
좋은 일이 생기면 맘껏 기뻐하고
혹여 좋지 않은 일이 일어나면
함께 다시 일어서기로 했어
우리가 행복하지 않아야 할 이유도
항상 힘겨워야 할 이유도 없으니까

–

네가 넘어지게 된다면 기꺼이 내 양손을 건넬 수 있고,
네가 잠시 쉬어가자고 말하면 어깨를 내어줄 수 있어.
혼자서 걷는 일도 좋지만,
때로는 심심하기도 하고 외롭기도 할 거야.
나를 너의 여정에 함께해주었으면 좋겠어.
같이 나아갈 거고, 다시 같이 일어설게.
행복을 찾아서 함께 걷자.

너라는 안식처

작은 위로여도
나는 견딜 수 있어
바쁜 하루 속 지쳐 힘겨웠는데
너로 인해 마지막에 웃었어
너는 항상 네가 사소하다고 하지만
나에게는 네가 제일 따듯하고 포근해

_

나에게 너는 하나도 부족하지 않고, 작은 존재도 아니야.
너처럼 따듯한 사람을 본 적 없어.
너의 품은 그 무엇보다 편안하고, 마음이 평화로워져.
힘들 때마다 네가 떠오르고, 너를 찾게 돼.
어린 나로 돌아가게 하는 것 같아.
너라면 내 부족한 모습을 보여줘도 괜찮아
네 안에서 나는 솔직한 내 모습을 보일 수 있어.

"네 안에서 나는 억지로 참아내지도 않고,
억지로 타인에게 맞추지 않아도 돼."

나타나 줘서 고마워

크게 대단한 것도 뛰어난 것도 아닌
나의 작은 우주가
네가 들어오면서 소중해졌고
아름다워졌고, 특별해졌어
너는 내 삶을 바꿔주었어

-

나를 살펴보는 일에 크게 관심이 없었다.
어쩌면 나는 나 자신을 잘 모르고 있었는지도 모른다.
그런 나를 깊이 바라봐준 사람이 있다.
너는 내가 소중하다고 말해주었다.
너로 인해 내 안을 들여다보게 되었다.
별 볼 것이 없는 사람이라고 생각했는데
나 또한 소중하고, 아름답고, 특별한 사람이었다.
나를 돌볼 줄 아는 사람이 될 수 있었다.

"이 글을 읽는 당신 또한 소중하고, 아름답고, 특별한 사람이란걸"

영원을 말해

어떤 일이 있어도 네 곁에 있을게
가끔 그럴듯한 오해가
사실처럼 번져 보이기도 해
나는 너의 말과 진심을 믿을게
혹여 너에게 무슨 일이 생겨도
나는 너에게 등 돌리지 않을게

-

네가 아니라면 아닌 거야.
네가 아닌 사람의 입에서 나온 말에 흔들려서
소중한 너를 떠나보내고, 잃게 되는 일은 없을 거야.
내가 얼마나 너를 믿고, 응원하고 좋아하고 있는데 거짓에 속아 넘
어가지 않을 거야. 뭐든지 너의 말과 그 안에 진심을 믿을게.
항상 너를 마주 보며 있을게. 내 시선을 맞출게.
너에게 익숙하지 않은 내 뒷모습은 앞으로도 보여주지 않을 거야.

내가 항상 네 곁에 있을 거야

그저 네가 아프지 않았으면 좋겠다
너의 따듯함과 다정함이라는 존재가
갑자기 찾아온 추위에 움츠러들지 않기를
너의 곁에 항상 내가 있을 테니
그 무엇도 두려워하지 말고 힘차게 나아가기를

–

네가 원할 때마다 내가 항상 곁에 있을 테니 혼자라고 생각하지
마. 아플 때면 곁에서 열심히 간호하며 챙겨줄게.
아플 때 혼자 있으면 괜히 더 서럽고 힘들다.
나는 너를 서럽고 힘든 공간에 홀로 두고 싶지 않다.
아팠던 시간을 딛고 다시 힘차게 나아갈 너의 모습을 상상하면
나는 계속해서 힘이 난다. 너의 손을 잡고 계속 말해줄 것이다.
지금 네 모습에 너무 걱정하지 말라고,
지금 조금 아프지만 분명 다시 건강해질 거라고.
내가 끝까지 너를 포기하지 않을 거라고.

행복이 영원한 공간

너랑 함께하면 행복해서
너에게 좋은 일만 가득 전해주고 싶어
나의 삶에 스며든 네가
그 누구보다 행복했으면 해

—

우리만의 아지트를 만들어 볼까.
넓지 않아도, 화려하지 않더라도
마음이 편해지고, 계속해서 찾고 싶은 공간 말이야.
그곳에서는 오직 너랑 나 둘만 존재하고 함께할 거야.
네가 원하는 것, 하고 싶어 하는 모든 일을 다 해줄 수 있어.
너를 위한 행복을 가득 담고 너를 기다릴게.
네가 좋아하는 것들로만 채운, 너를 위한 공간이야.

예외

행운은 예상하지 못할 때
찾아온다고들 말하지만
너에게는 마치 예상한 듯이
매일 행운이 있었으면 좋겠다

–

매일 좋은 일이 일어날 수는 없다고 말하지만
너에게만큼은 예외였으면 좋겠어.
행복도, 행운도 다 네 것이었으면 좋겠어.

내 삶엔 항상 네가 있어

내가 잊지 못할 순간에는 네가 존재해
내가 미치게 행복했던 기억에도 네가 존재해
나에게 너는 잊지 못할, 행복한 그런 존재야

-

네가 없는 나의 삶을 상상할 수 없다.
상상만으로 허전하고, 공허해서 나는 아무것도 할 수 없을 것이다.
네가 찾아온 순간부터
내 삶이 다시 선명해지기 시작했어.
힘들 때마다 꺼내 보는 기억 안에도 네가 있고,
기뻤던 순간의 시간을 되새겨보아도 네가 있어.
내가 기억하는 나의 모든 시간에는 전부 네가 있어.

행복이 익숙했으면 좋겠어

우리 이제 행복해지기로 해

그 어떤 걱정과 불안 속에서도 살지 말고

눈물로 밤을 지새우며 보내는 날보다

행복해서 하루를 끝내고 싶지 않은 날이

더 많은 그런 삶을 살아가자

–

좋은 감정을 곁에 많이 두자.

너를 찾아올 수 있도록,

너의 주변을 계속해서 머물도록 말이야.

그동안 눈물로 지새웠던 너의 소중한 밤의 시간만큼

행복을 느꼈으면 좋겠어. 앞으로 남은 건 슬픔보다 행복이야.

행복이 아직 많이 남아있고, 너를 기다리고 있을 거야.

좋은 기억을 많이 만들어줄게

좋은 기억들이 뭉쳐
나쁜 기억들로부터 너를 감싸주고, 지켜주기를
그 좋은 기억 속에 너와 내가 함께이기를

–

좋은 기억 속에는 힘이 담겨 있다.
좋은 기억들이 모여 너를 감싸서
나쁜 기억이 너를 삼키지 않도록 지켜주었으면 좋겠다.
나쁜 기억으로부터 너를 지켜주고 싶다.
좋은 너에게, 좋은 기억이 많았으면 한다.

너의 365일

네 생각보다도 더 너는 소중하고 대단해
단 한 사람뿐인 너를 알게 되어 감사해
앞으로 주어진 시간 동안 함께 즐거운 기억을 쌓아가자

-

너의 365일은 좋지 않은 순간보다 좋은 순간이 훨씬 더 많기를,
슬픈 일이 있어도 좋은 일이 더 많아서 덮을 수 있기를.
내가 너의 365일을 즐겁게 만들어줄게.
슬픔은 반으로 나누고, 행복은 배로 곱하자.

나의 모든 기쁨

좋은 일이 가득 일어났으면 좋겠어
아무런 걱정 없이 온전히 하루를 느끼고
어떤 생각도 들지 않게 행복하고 싶어
그리고 그 모든 순간에 너와 함께였으면 좋겠어

-

나의 모든 기쁨에 네가 함께였으면 좋겠어.
네가 아니었다면 느끼지 못할 감정이었으니까.
앞으로 남은 내 모든 삶, 너랑 함께 기뻐하고 싶어.

"네가 나의 모든 기쁨이야."

평온한 하루

알람 소리가 아닌 창 넘어 비춘 햇살에 눈을 떠
작은 숨소리를 내며 아직 잠든 너를 감상하고
함께 먹을 음식을 요리하면서
오늘 너와 어떤 하루를 보낼까
너에게 어떤 예쁜 말로 내 사랑을 전할까 생각해

-

"우선 네가 일어나면 먼저 꼭 안아줘야겠다."

까만 밤을 찾아온 작은 별

너는 나의 모난 점을 감싸 안아줘
불안에 휩쓸려진 내가
유일하게 숨을 쉴 수 있는 건 네 곁이야
너라는 존재는 내 전부야
난, 너 하나로 이 세상을 버텨

–

앞이 보이지 않아서 무서웠던 시간을 보냈어.
이대로 내가 사라져 버리면 어떡하지,
이대로 내가 존재하지 않게 된다면 어떨까.
희미해지려고 하는 나를 끝까지 비춰준 사람이 있어.
너는 너의 빛을 흔쾌히 나에게 건넸고
나는 사라지지 않을 수 있었어.
어두웠던 곳이 점차 뚜렷한 윤곽을 보였고
나는 다행히 길을 잃지 않고 밖으로 나올 수 있었어
네가 나눠 준 빛은 내가 살아갈 수 있는 전부가 되었어.

기적을 본 날

나라는 어둠 안에
너라는 빛이 스며들었다
불안과 걱정에 잠겨
놓을 뻔했던 내 많은 날을
네가 내민 손을 붙잡으면서 지킬 수 있었다
그때 내 눈에 너는 세상에서
제일 환한 빛이었다

-

좋았던 것이 싫어지고, 사람이 싫어지고, 삶이 싫어지고,
나 자신이 너무나도 싫어졌을 때.
어둠이 내 모든 것을 감싸고 있었을 때.
천천히 가라앉아버리고 있었을 때.
너는 그런 내게 기꺼이 손을 내밀어줬다.
네가 주는 환함과 따듯함에 나는 너의 손을 붙잡아버렸다.
그때 그 순간 너의 빛이 나의 공간에 들어왔고
나는 포기하지 않을 수 있었다.
너는 나를 지켜줬고, 일어서게 한 기적과도 같은 사람이다.

기대해 줘

아직 내가 서툴고 부족해서
너에게 거창하고 큰 행복을 건네주지는 못하겠지만
매일 작은 행복을 안겨다 줄 순 있어
우리만 아는 특별한 하루를 만들고
너의 순간을 기쁨으로 물들여 줄게
그리고 언젠가는 커다란 행복까지
모두 네 것이 될 거야

-

지금은 너에게 작은 행복을 안겨다 주는 나이지만
내가 더욱 노력해서 언젠가 큰 행복도 너에게 안겨다 줄게.
작은 행복이더라도 절대 얕진 않을 거야.
너와의 소중한 기념일을 만들고, 아무런 일이 아니더라도 너를 닮
은 꽃, 예쁜 선물을 건네주며 웃음이 떠나지 않도록 해줄게.

"너만을 위한 내가 될 테니 기대해도 좋아."

사계

시간이 또 빠르게 흘렀어
좋은 일도 많았고
원했던 만큼 잘 풀리지 않은 날도 많았겠지만
중요한 것은 우리가 그 어떤 날도 잘 헤쳐 나갔다는 거야

–

봄, 여름, 가을, 겨울 네 차례의 계절이 모두 흘렀다.
계절마다 너에게 어떤 일이 있었는지 궁금하다.
좋았던 일이 더 많았는지, 아니면 원치 않게 지나간 날이 꽤 있어
서 바쁘고 지치는 하루를 보냈는지 말이야.
언제 지나갈까 싶었던 시간이었는데 끝내 흘러갔다.
어느새 벌써 여기까지 왔을까. 사계를 잘 지나쳐왔다.
다음에 만날 사계는 조금 더 따듯하고 덜 추웠으면 좋겠다.

"너의 봄은 조금만 더 길었으면 좋겠다."

매년, 함께 했으면 해

고맙다는 말론 부족한 소중한 내 사람들이 있어서
덕분에 올 한 해를 보내
우리 내년에도 함께 했으면 해
좋은 일이 더 많기를 기대해

—

분명 힘든 일도 있었고, 막막하기도 했어.
막상 마지막 날이 되어 말없이 그동안 시간을 되돌아보니까
그래도 마냥 나쁘지만은 않았던 것 같아.
좋았던 순간이 있어 끝까지 걸어올 수 있었고,
좋았던 순간을 네가 만들어줬어. 네 덕분이야.

- 너를 너무 좋아해.

- 네가 오래 행복했으면 좋겠다.